はじめての五七五

違いがわかる

「俳句・川柳」

上達のポイント

新装版

上野貴子・江畑哲男 監修

はじめに

俳句と聞くと学校で勉強してからもうとっくに忘れてしまったという方が殆どですね。お子さんのいるご家庭では、よく宿題に出るとか地域のイベントのチラシで見かけるというお母さん方も多いかと思います。俳句は日本人の心の故郷とでもいうような、そんな懐かしさがありますね。短い五七五の言葉のリズムが日本人の想像力を掻き立てるのでしょう。

芭蕉の昔から今でも、変わることなく俳句は、人の心を慰めてくれる優しい文芸だと思います。私は、この人生のなかで最大の挫折だった離婚の直後に俳句と出会いました。人を信じられない切ない寂しさを、俳句は優しく癒してくれます。大きな自然のなかにある、人間の心の叫びを広い空のように受けてとめてくれたのが俳句でした。

そして、自分の選んだ道の岐路に立たされた時に、思い悩み傷つき閉ざされていた心の扉を、俳句は開いてくれます。五七五の言葉に触れてみてください。本当の自分を見つめなおし、新たな道へ進み出すことを後押ししてくれます。

昔の人の心を知ることで自分の心が癒され、懐かしい風物詩が忘れていた郷土への愛情を呼び覚ましてくれる。そして、自分だけの言葉を見つけ出す喜びに元気が出てきます。

あまり考え過ぎずに、まずはあなたらしい俳句を詠んでみることです。どんな名句にも負けないご自分の俳句が生まれる喜びを大切にして下さい。俳句ってこんなに楽しいものだったのかと、きっと気が付きますよ。

俳句監修者　上野貴子

コラボの意義

きわめてユニークな企画である。そう思った。そんなユニーク本を、こうして皆さんにお届け出来るのが嬉しい。俳句と川柳の「違いと魅力がわかる」本。両者のコラボレーション、それも技法のコラボになっている。それがこの本の特長である。

自らの俳句をステップアップしたいと考えている方、川柳に興味を持ちながらも自己流で川柳を作っていた方。そんな方々にオススメの一著がコレである。俳人にとっても、川柳人にとっても参考になるに違いない。自信を持って、そう申し上げておく。

そもそも日本人は韻文が大好きである。俳句を一句も作ったことがない人は皆無であろう。川柳に一度も興味を抱かなかった人もいないだろう。そう、日本人と七五調は切り離せないのだ。

本著は、俳句・川柳の共通編一一項目と、独自編合わせて一七項目とで構成されている。ココが面白い。この点がユニークなのだ。

初心者はモチロン、初級者・中級者のステップアップにつながるものと信ずる。そういう内容をふんだんに盛り込んでおいた。川柳人は俳句の技法を、俳人は川柳の息づかいを本著で学べる。お隣に位置する文芸から学ぶ要素は少なくないはず。ぜひそうして欲しいものである。

かくいう筆者。筆者も、一〇代は俳句や短歌の韻律に深く親しんだ一人であった。それゆえに本著を監修させていただいたのである。

川柳監修者　江畑哲男

はじめての五七五　違いがわかる「俳句・川柳」上達のポイント　新装版

目次

※本書は2017年発行の『違いがわかる　はじめての五七五「俳句・川柳」上達のポイント』の装丁を変更し、「新装版」として新たに発行したものです。

はじめに……2
本書の使いかた……8

第1章　俳句と川柳　共通点と違い、そしてそれらの魅力

1 俳句と川柳の形式上の共通点と相違点とは……10
2 俳句・川柳　ステップアップのための主な共通点と相違点……14
3 言葉の使い方……16
4 あえて定型を崩す　～「字余り」・「句またがり」など～……20
5 作句の技術……22

第2章　俳句のステップアップのコツ

ステップアップのコツ1 表現にリフレインの技法をうまく使いましょう……28
ステップアップのコツ2 言葉のセンスを磨きましょう……30
ステップアップのコツ3 ときには、あえて破調にしましょう……32
ステップアップのコツ4「取り合わせ」の技法をうまく使いましょう……38
ステップアップのコツ5「二物衝撃」の技法をうまく使いましょう……40

ステップアップのコツ6
比喩表現をうまく使いましょう① …… 42
ステップアップのコツ7
比喩表現をうまく使いましょう② …… 44
ステップアップのコツ8
比喩表現をうまく使いましょう③ …… 46
ステップアップのコツ9
比喩表現をうまく使いましょう④ …… 48
ステップアップのコツ10
「オノマトペ」をうまく使いましょう …… 50
ステップアップのコツ11
「日本語力」アップ
〜「てにをは」を考慮しましょう〜 …… 52
ステップアップのコツ12
推敲のレベルを上げましょう …… 54
ステップアップのコツ13
名句を鑑賞することも大切 …… 56
ステップアップのコツ14
上達するために句会に参加しましょう …… 60
ステップアップのコツ15
俳句はリズムが大切 …… 62
ステップアップのコツ16
「切れ」を意識しましょう …… 66
ステップアップのコツ17
「切れ字」を意識しましょう …… 70
ステップアップのコツ18
あえて「文語」にしてみましょう …… 74
ステップアップのコツ19
あえて「話し言葉（口語）」にしてみましょう …… 80
ステップアップのコツ20
「季語選び」を工夫しましょう …… 84

第3章　川柳のステップアップのコツ

ステップアップのコツ21 表現にリフレインの技法をうまく使いましょう……94
ステップアップのコツ22 言葉のセンスを磨きましょう……96
ステップアップのコツ23 ときには、あえて破調にしましょう……98
ステップアップのコツ24 「取り合わせ」の技法をうまく使いましょう……104
ステップアップのコツ25 「二物衝撃」の技法をうまく使いましょう……106
ステップアップのコツ26 比喩表現をうまく使いましょう①……108
ステップアップのコツ27 比喩表現をうまく使いましょう②……110
ステップアップのコツ28 比喩表現をうまく使いましょう③……112
ステップアップのコツ29 「オノマトペ」をうまく使いましょう……114
ステップアップのコツ30 「日本語力」アップ ～「てにをは」を考慮しましょう～……116
ステップアップのコツ31 推敲のレベルを上げましょう……118
ステップアップのコツ32 名句を鑑賞することも大切……120
ステップアップのコツ33 上達するために句会に参加しましょう……124

ステップアップのコツ34 下五で決めましょう……128
ステップアップのコツ35 止め方アラカルト……132
ステップアップのコツ36 表記を工夫しましょう（1）……136
ステップアップのコツ37 表記を工夫しましょう（2）……140
ステップアップのコツ38 口語表現の妙を生かしましょう……144
ステップアップのコツ39 誇張もウソも大切……148
ステップアップのコツ40 句語の発見が大切……152
ステップアップのコツ41 一字アケの魔力を知りましょう……156
ステップアップのコツ42 数字や記号等を有効活用しましょう……160
ステップアップのコツ43 ユーモア全開でいきましょう……164
ステップアップのコツ44 あっと驚く「うがち」……168
ステップアップのコツ45 軽みの美学……172

本書の使いかた

俳句編

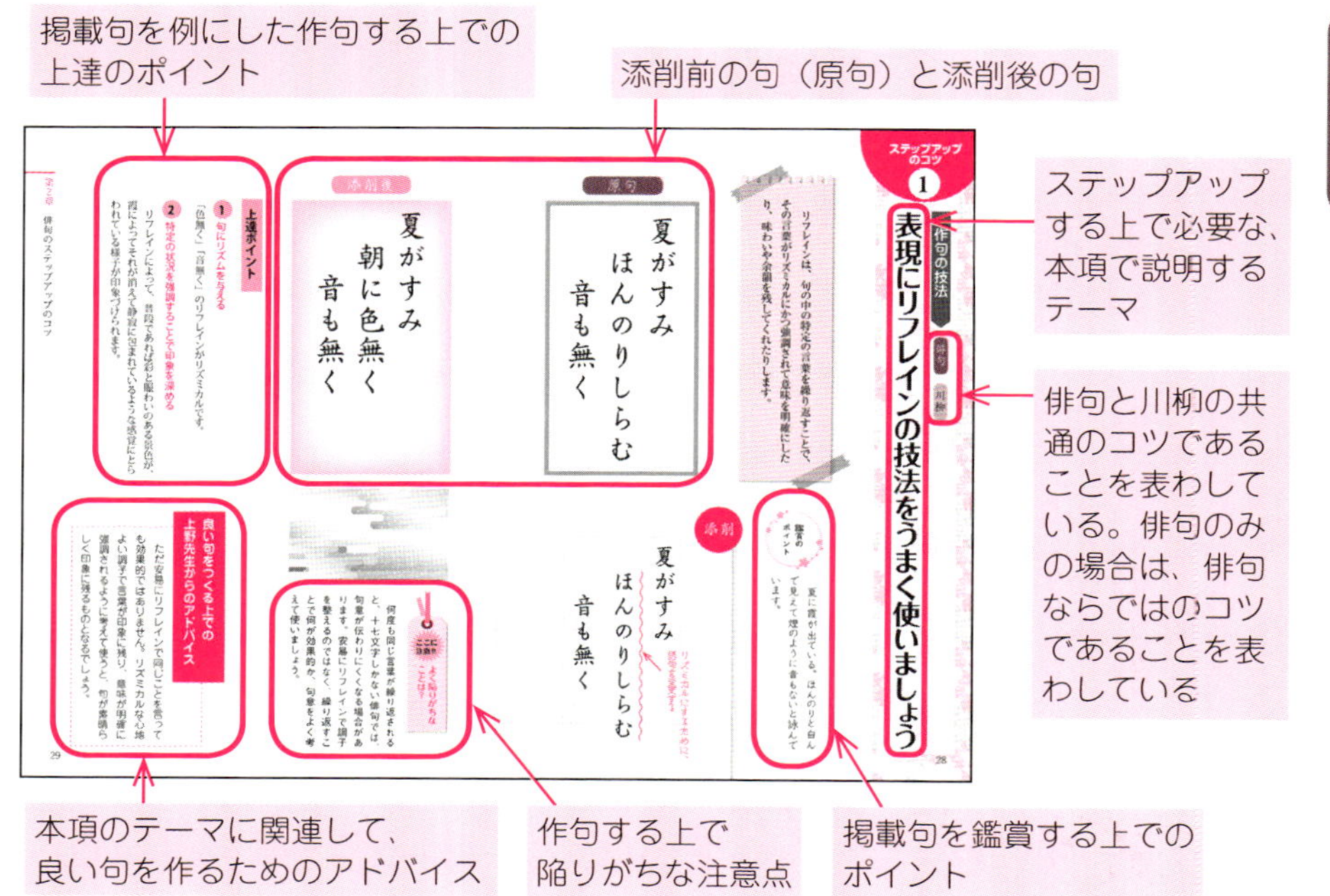

川柳編

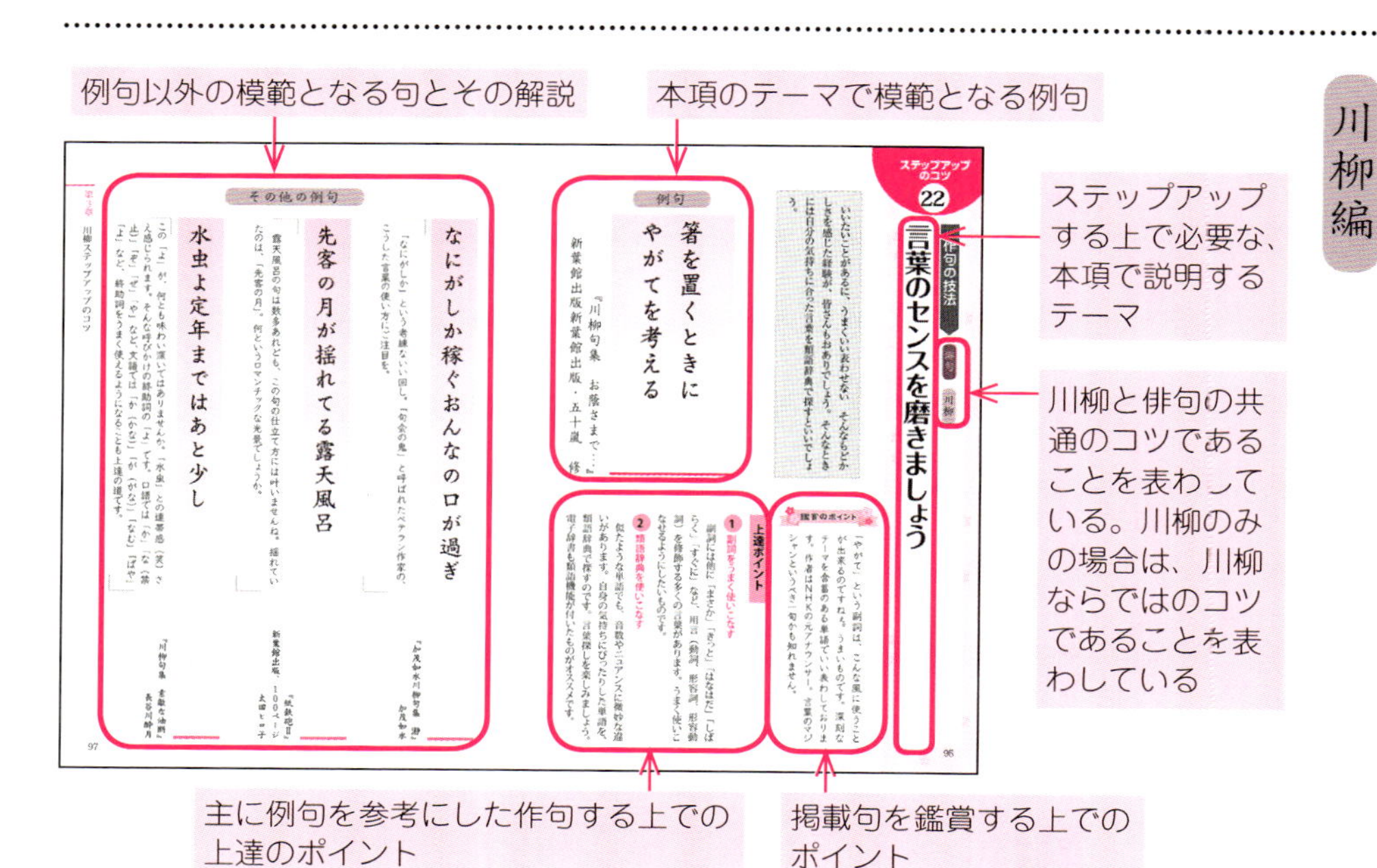

注：
①俳句編・川柳編でご紹介している作品のうち、監修者の上野貴子の作品は作家名を省略しております。
②本書に使用した画像・イラスト等は、作品とは直接関係がなく、読者のイメージを補足する目的で編集部独自の判断で採用していることを予めご了承ください。

第1章

俳句と川柳
共通点と違い、そしてそれらの魅力

この章では、俳句と川柳の共通点と相違点をわかりやすい例句とともに解説し、俳句とは何か、川柳とは何かを紹介しています。

1

俳句と川柳の形式上の共通点と相違点とは

俳句と川柳の共通点と相違点を認識しましょう

俳句と川柳には共通点も多いのですが違いも多くあります。自らの作品のステップアップを目指す際には、共通してできることもあれば、それぞれ違った技法を使ったり、そのことに熟練したりすることが必要です。

ではここで、俳句と川柳の歴史をひもとき、その過程で成立した形式上の共通点と相違点をおさらいしておきましょう。

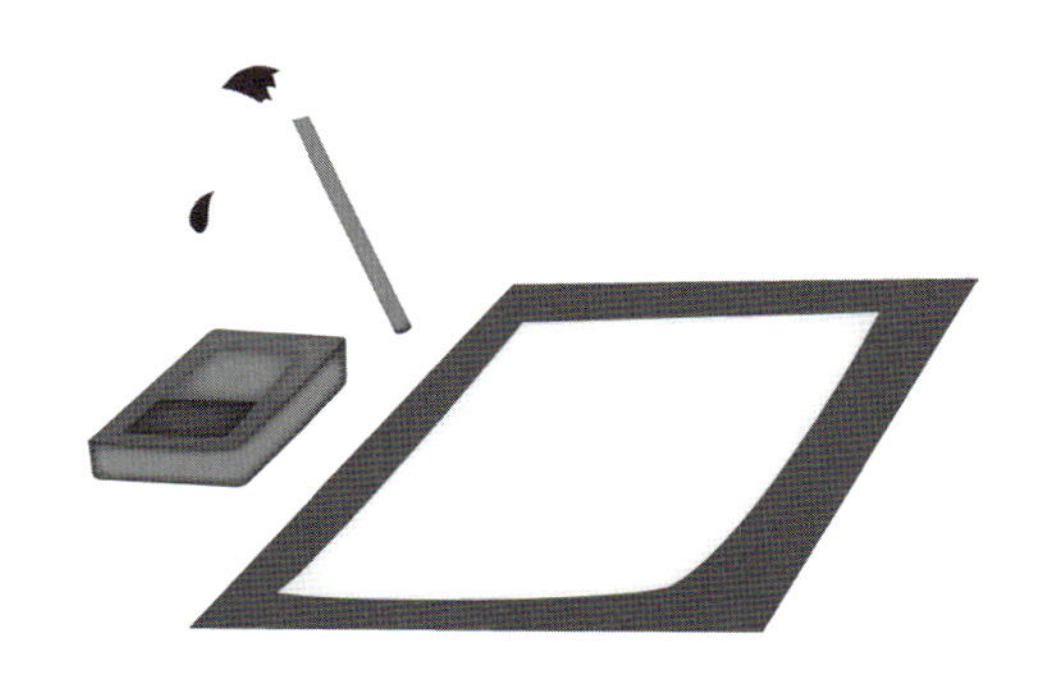

◆俳句・川柳の歴史

俳句や川柳は、もともと鎌倉時代から江戸時代初期にかけて流行した長連歌（短歌）がその原点となります。

この長連歌は、五七五の句に七七の句を付け、それにさらに五七五の句を付けるようにして、長句と短句を交互に付けて詠まれていました。

そして、室町時代末期になると、それまで連歌師の余技とされていた滑稽な連歌が、その従属的な位置づけを変え、「俳諧」として独立していきました。

ちなみに俳諧とは、「俳優の諧謔」、すなわち滑稽を意味しています。

この俳諧の連歌は、室町時代末期に広く一般庶民の間で流行しました。

その流行の背景には、「連歌」を楽しむには高い教養が必要とされていたことから、一般の人が楽しむために、それに少し「滑稽さ」を加え、それまでの規則を緩めたということがあります。

その後、江戸時代に入っても、俳諧は連歌の句に対する俳諧の句、すなわち連句の上の句「五・七・五」を意味する発句・付句をさすにとどまっていました。

有名な江戸前期の俳人・松尾芭蕉も、俳諧の一句目という意味で「発句」と呼び、「俳句」とはいいませんでした。

こうして成立した俳句は、連歌の上の句「五・七・五」だけを詠むものとして誕生しました。

その後、明治時代に入り、現代の「俳句」は、古俳諧の研究を続け、俳句革新運動の先駆けとなった正岡子規によって成立したとされています。

その一方で川柳は、「俳諧の連歌」の「付句」（雑俳　前句付）が独立したものです。江戸時代中期から詠まれるようになりました。

ちなみに、「川柳」と呼ばれるのは、前句付の点者、柄井川柳の号にちなんでいます。

そして明治時代以降、川柳革新運動を経て、今日では伝統的傾向、社会諷詠的傾向、革新的傾向など、その句風はきわめて多様化しているのが現代川柳の特徴といえます。

◆俳句と川柳の違い

川柳と俳句は、五・七・五の同じ形式ですが、前述のように俳句は俳諧の発句が独立したものであり、川柳は付句が独立したものです。

その主な違いには、作品のモチーフとして、俳句は個人的な心情、思索、思想を詠みますが、一方の川柳は、個人的な心情、思索、思想、そして風刺も含めて、人間模様や人間社会を詠みます。

また、よく使われる言葉としては、俳句では現代仮名遣いで口語体も使われますが、主流は文語体です。表現の特徴として風景や物事を描写します。その一方で川柳は、主流は現代仮名遣いで口語体、表現の特徴として物事をユーモア・うがち・軽みで表現します。

さらに作句の上で俳句は、発句の性格を受け継いだものとして、たとえば、季語や切れ字の約束、句調の重さなどが特色となっています。一方の川柳では、付け句の性格を受け継いだものとして、自由な題材、句調の軽さなどが特色とされています。（詳しくは2章以降をご参照ください）。

俳句・川柳の主な共通点と相違点

	俳句	川柳
発祥	江戸時代	江戸時代
音数	五・七・五	五・七・五
季語の有無	必須	基本的に不要
作品のモチーフ（※）	個人的な心情、思索、思想	個人的な心情、思索、思想。風刺も含めて人間模様や人間社会
よく使われる言葉	現代仮名遣いで口語体も使われるが、主流は文語体	主流は現代仮名遣いで口語体
表現の特徴	風景や物事を描写	物事をユーモア・うがち（※）・軽みで表現

※モチーフとは、表現の動機・きっかけとなった、中心的な思想・思い。

※うがちの動詞形である穿つ（うがつ）とは、本来、「穴をあける」という意味があります。転じて表面的には見すごされがちな事実を掘り出して示すことをいいます。

俳句・川柳 ステップアップのための主な共通点と相違点

本書では、俳句と川柳それぞれの達人から上達のヒントをまとめました。本章「3．言葉の使い方」、「4．あえて定型を崩す」、「5．作句の技術」に続く第2章、第3章でも俳句・川柳共に共通するポイントが多く含まれています。

左の表と各ページの俳句（アイコン）・川柳（アイコン）ページを参照し、両達人のアドバイスを生かしてください。

俳句・川柳 ステップアップを図るための主な共通点と相違点

共通のアプローチ

川柳　俳句

- 表現にリフレインの技法をうまく使う（Ｐ28、Ｐ94）
- 言葉のセンスを磨く（Ｐ30、Ｐ96）
- ときには、あえて破調にする（Ｐ32、Ｐ98）
- 「取り合わせ」の技法をうまく使う（Ｐ38、Ｐ104）
- 「二物衝撃」の技法をうまく使う（Ｐ40、Ｐ106）
- 比喩表現をうまく使う（Ｐ42、Ｐ108）
- 「オノマトペ」をうまく使う（Ｐ50、Ｐ114）
- 「日本語力」アップ～「てにをは」を考慮する～（Ｐ52、Ｐ116）
- 推敲のレベルを上げる（Ｐ54、Ｐ118）
- 名句を鑑賞する（Ｐ56、Ｐ120）
- 句会に参加する（Ｐ60、Ｐ124）

異なるアプローチ

俳句	川柳
・リズムが大切（P62） ・「切れ」を意識する（P66） ・「切れ字」を意識する（P70） ・あえて「文語」にしてみる（P74） ・あえて「話し言葉（口語）」にしてみる（P80） ・「季語選び」を工夫する（P84）	・下五で決める（P128） ・止め方アラカルト（さまざまな止め方を学ぶ）（P132） ・表記を工夫する（P136、P140） ・口語表現の妙を生かす（P144） ・誇張もウソも大切（P148） ・句語の発見が大切（P152） ・一字アケの魔力を知る（P156） ・数字や記号等を有効活用する（P160） ・ユーモアを全開させる（P164） ・あっと驚く「うがち」（P168） ・軽みの美学（P172）

3 言葉の使い方

「リフレイン」で印象深さと余韻を！

「リフレイン」とは繰り返すことをいいます。
俳句や川柳の場合は、同じ用語を繰り返し使うことで印象深さと余韻を与えます。

俳句 P28～

川柳 P94～

俳句

夕ぐれて
花は花影
写すかに

俳句の代表的な春の季語「花」を重ねて詠んでいます。

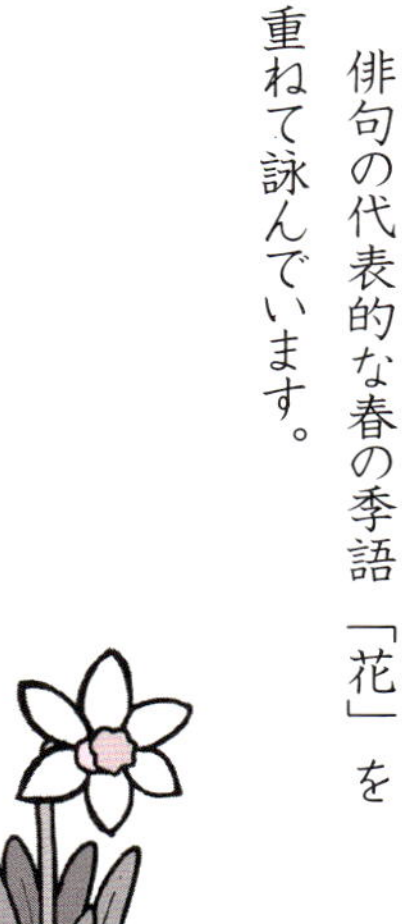

川柳

そんな子も
いたいた
同窓会はずむ

伊豆丸竹仙
（『川柳雑学エッセイ集 波のまにまに……』櫂歌書房）

「いたいた」の繰り返しが絶妙。同窓会やクラス会でよく出る会話。「そうそう」、「いたいた」、「覚えてる、覚えてる」等々、会話が弾む様子が覗えます。

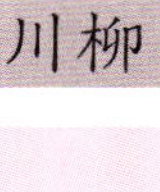

言葉のセンスを磨きましょう

俳句 P30〜

川柳 P96〜

言葉のセンスを磨くには、まずは感性を磨き、表現法を磨くということになりますが、ここでは、センスある言葉の使い方をしている作品を紹介します。

俳句

手を伸ばす
目線の上に
柿の空

「柿の空」としたところがこの句の言葉のセンスが磨かれていることを感じます。

川柳

焼き鳥の
串にも絡みつく
アジア

板垣孝志

（『板垣孝志川柳句集 悔い』新葉館出版）

「アジア」が絡みついていた、とな。経済はすっかりグローバル化し、焼き鳥の串に絡みついていたのは、貧しいアジアの労働者の汗。「アジア」といい切ったところがスゴイ！。

「オノマトペ」をうまく使いましょう

「オノマトペ」とは擬音語と擬態語の総称のこと。上手に盛り込んで臨場感を高めましょう。

俳句 P50〜

川柳 P114〜

俳句

夕風の
さらりと潜る
青簾

擬態語の「さらり」を入れて詠んだ句です。

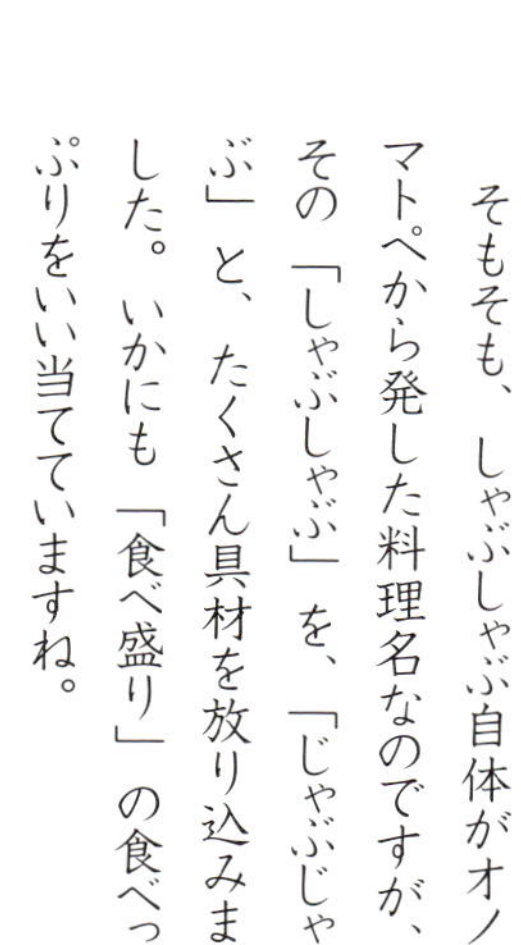

川柳

しゃぶしゃぶも
じゃぶじゃぶにする
食べ盛り

松尾美智代
（『川柳塔』平成二九年二月号）

そもそも、しゃぶしゃぶ自体がオノマトペから発した料理名なのですが、その「しゃぶしゃぶ」を、「じゃぶじゃぶ」と、たくさん具材を放り込みました。いかにも「食べ盛り」の食べっぷりをいい当てていますね。

「日本語力」アップ～「てにをは」を考慮しましょう～

助詞を上手に使うと、句に特定の意味と印象を与えます。

俳句 P52～
川柳 P116～

俳句

**谺（こだま）する
夏鶯（なつうぐいす）に
山の青**

夏の鶯がホーホケキョと美しい声で空高くこだましています。鶯の声にもまして山の緑が青々と美しい光景を詠んだ句です。

「に」の使い方が効果的です。

川柳

**キャンパスを
昔のボクと
歩いてる**

キャンパスを、「昔のボクが」歩いているのではありません。「昔のボクと」と作者は叙述しています。では、いったい誰が「昔のボクと」歩いているのでしょうか？　そうです。いまのボクが一緒に歩いているのです。ハイ、過去のボクと一緒に。

4 あえて定型を崩す ～「字余り」・「句またがり」など～

字余り

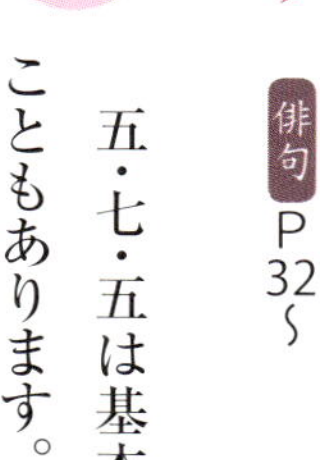

俳句 P32～
川柳 P98～

五・七・五は基本ですが、よい作品をつくるためにはあえてその形式を崩すこともあります。

俳句

鈴虫か
空にはいつしか
星が出る

やわらかなリズムに情緒があり、中七の字余りが気になりません。

川柳

やることない
宿題あるのに
やることない

内藤美咲（愛媛・新居浜南高校）
（『青春川柳作品集二〇一二、四国大学』）

六音・八音・六音の字余り。しかし、高校生の作者にとっては、形式的な字余りよりも自分の気持ちの方を訴えたかったのでしょう、きっと。「やることない」を、二度も使っております。

句またがり

俳句 P36～

川柳 P101～

俳句

風ぬるみ
水ぬるみ
木々のざわめく

風と水と木々という自然の目覚めをリズミカルに表現しています。三フレーズということもあり下五の句またがり（「木々のざわめく」）が効果的な句ですね。

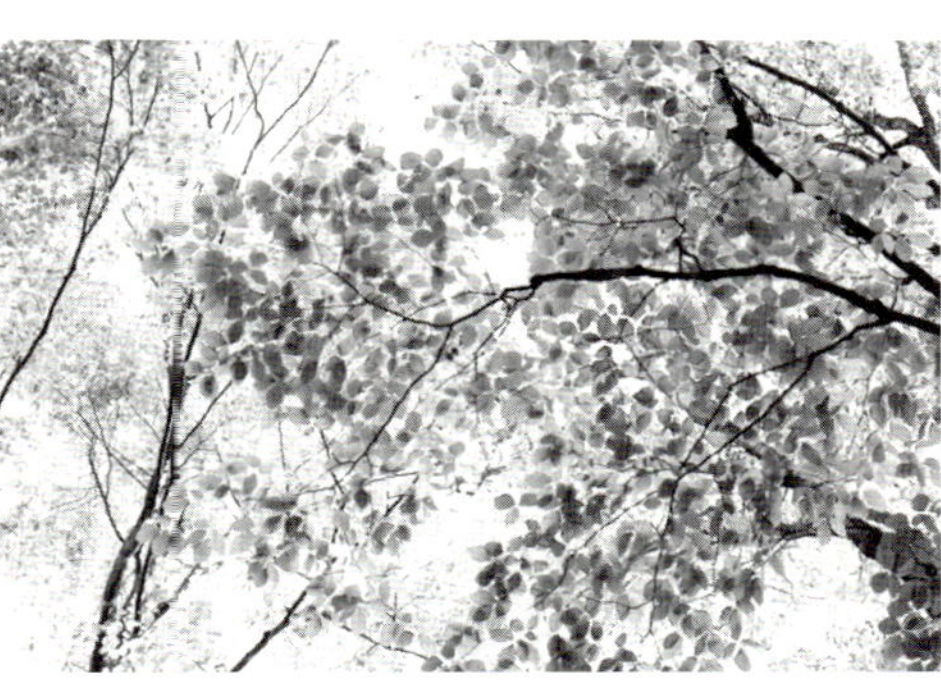

川柳

重いもの見て来た
ドローンの孤独

西村美保子
（第五七回伍健まつり川柳大会）

この場合のドローンは、変事に際して出動したものでしょう。遊びではありません。「重いもの」を見て来た、といっているからです。ドローンの「孤独」と句またがりにして、擬人化しています。

5 作句の技術

意外性のある「取り合わせ」を

取り合わせの場合、「男も女も」とか「山も海も」のように、同類及び同質の組み合わせも結構ですが、多少なりとも意外性のある組み合わせの方が作品としては面白みが増してきます。

俳句

冬の季語「鷹」がひとつにまとまっています。「染まる葉」と季語の取り合わせと発想が面白くまとまっています。

川柳

ブランコも　健忘症も　揺れている

田辺サヨ子（『ぬかる道』）

「ブランコ」と「健忘症」のちょっと意外な取り合わせ。なかなかユニークな取り合わせです。

注目

Aのパターン

わかりやすさ、納得感のほか、堅実で詠み手の意図が正しく伝わります。その反面、ありきたり感やつまらなさを感じることも。

事物 A ←→ 事物 A'
距離が近い

Bのパターン

一見、二つの言葉の取り合わせに違和感を感じますが、ユニークで面白味を感じさせます。取り合わせの意外性がポイントです。

事物 A ←→ 事物 B
距離が遠い

「二物衝撃（にぶつしょうげき）」で効果的に

二つの事物（主に、季語とそれ以外のモノ・コト）を取り合わせることで、両者に相乗効果を発揮させる「二物衝撃」を作句に生かしましょう。

俳句 P40～
川柳 P106～

俳句

紫陽花に
弾けて雨の
四分音符

雨の粒が「紫陽花」から落ちる光景を「四分音符」にたとえています。意外性が二物衝撃です。

川柳

桃の傷
愛は後悔
しないもの

松村華菜（『川柳句集　炎』）

この作品は、「取り合わせ」より「二物衝撃」に分類した方が適切でしょう。「桃の傷」と「後悔しない愛」との二者をぶつけました。

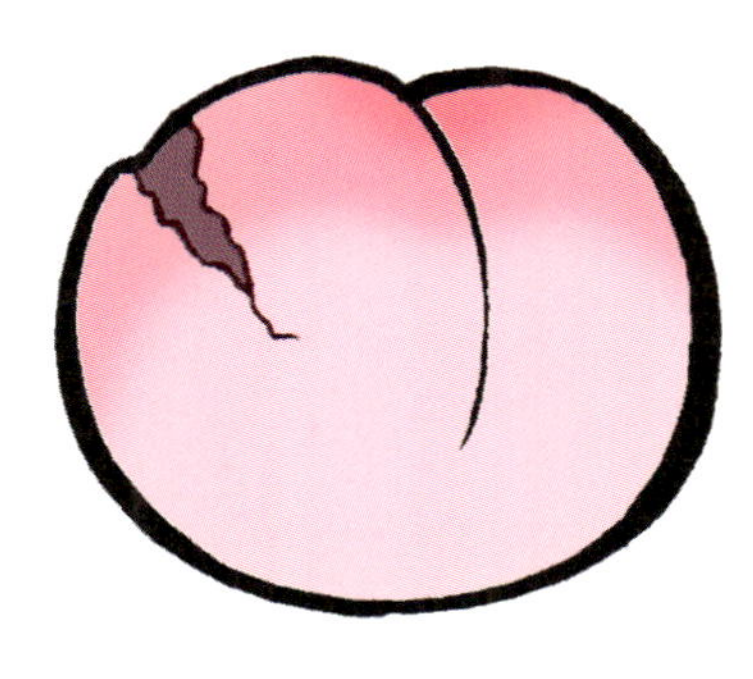

注目

二句一章といい、二物衝撃といっても、明確な境界が存在する訳ではありません。

二物の間に介在する「空間」「距離」「沈黙部分」によって、単なる取り合わせとも解釈できますし、二物衝撃にもなり得ます。このあたりは、作者の意図や読者の鑑賞力によっても微妙に異なってくるところです。

比喩表現を盛り込む

比喩には「直喩」「隠喩」「擬人法」「擬物法」など、句の中で伝えたいことや喩える対象、喩え方によってさまざまな表現方法があります。うまく使いこなすことができれば、表現力も高まり楽しみも増すでしょう。

P42～

P108～

俳句

茗荷の子
薄紫の
衣着て

衣を茗荷の幾重にも重なる根の様子にたとえ、隠喩として詠んでいます。

川柳

ハンカチを
つないだやうな
娘の水着

川上三太郎

六大家の一人・川上三太郎といえば、とかく詩性派の作品の方が注目されるようですが、いやはやどうしてどうして。この直喩の、分かりやすくてユーモラスなこと。旧仮名時代の作品にして、今日にも通用する見事さ、です。

俳句のステップアップのコツ

この章では、俳句のステップアップのコツをわかりやすい例句とともに解説し、俳句とは何かを紹介しています。

川柳 のマークのあるものは、共通するコツ、俳句 のマークのみのものは俳句ならではの上達へのアプローチです。

ステップアップのコツ 1

言葉の使い方

表現にリフレインの技法をうまく使いましょう

俳句　川柳

リフレインは、句の中の特定の言葉を繰り返すことで、その言葉がリズミカルにかつ強調されて意味を明確にしたり、味わいや余韻を残してくれたりします。

原句

夏がすみ
ほんのりしらむ
音も無く

鑑賞のポイント

夏に霞が出ている。ほんのりと白んで見えて煙のように音もないと詠んでいます。

添削

夏がすみ
ほんのりしらむ
音も無く

リズミカルにするために、語句を変更する

添削後

夏がすみ
朝に色無く
音も無く

何度も同じ言葉が繰り返されると、十七文字しかない俳句では、句意が伝わりにくくなる場合があります。安易にリフレインで調子を整えるのではなく、繰り返すことで何が効果的か、句意をよく考えて使いましょう。

上達ポイント

1 句にリズムを与える

「色無く」「音無く」のリフレインがリズミカルです。

2 特定の状況を強調することで印象を深める

リフレインによって、普段であれば彩と賑わいのある景色が、霞によってそれが消えて静寂に包まれているような感覚にとらわれている様子が印象づけられます。

良い句をつくる上での上野先生からのアドバイス

ただ安易にリフレインで同じことをいっても効果的ではありません。リズミカルな心地よい調子で言葉が印象に残り、意味が明確に強調されるように考えて使うと、句が素晴らしく印象に残るものとなるでしょう。

ステップアップのコツ 2

言葉の使い方

言葉のセンスを磨きましょう

俳句　川柳

言葉は、その言葉の持つ意味の他に、人が日常的に感じているニュアンスもあります。そこで、よい句を作るには、聞き手の想像力がかき立てられるような、センスのある言葉を使えるようになることが大事です。

原句

葉桜の
迫り来て
欄干隠す

添削

葉桜の
迫り来て
欄干隠す

接続詞を変更する

五七五に整える

鑑賞のポイント

夏の葉桜がわき出るように欄干に迫ってきて、欄干を覆い隠すようだと詠んでいます。

添削後

葉桜に　橋の欄干　遮られ

上達ポイント

1 まずは五七五に整えることが大事

綺麗な五七五のリズムの句に整いました。

2 詠み手の心を簡潔に伝える言葉を選ぶ

橋の「欄干隠す」ではなく「欄干遮られ」という表現に、その様子とそのときの詠み手の心の様相が伝わってきます。

ここに注意!! よく陥りがちなことは?

現代人の俳句だからといって、句の中に流行り言葉や業界用語が含まれると、詠み手の言葉のセンスが疑われかねません。人それぞれ捉え方が違いますが、やはり原則的には、長い歴史のある日本特有の世界だということを忘れずに、言葉のセンスを磨きましょう。

良い句をつくる上での上野先生からのアドバイス

言葉に対する感じ方は人それぞれで、個人的な趣味や興味、ときには好みにまで関わります。そうした中で、言葉にセンスを感じさせる人の表現に共通することは、「わかりやすく、共感できる」ということです。

ステップアップのコツ 3

あえて定型を崩す

俳句　川柳

ときには、あえて破調にしましょう

①「字余り」にしたほうが効果的！

作者がいいたいことを表現するに当たり、句の意味をまとめるために、どうしても五七五の定型では納められない言葉があります。

原句

石畳
道の傍ら
草の秋

石畳を歩いているといつの間にか季節が変わり細やかな秋を路のかたわらの草に見ることができると詠んだ句です。

添削

石畳
道の傍ら
草の秋

より意味をわかりやすくするために、句意を整える

添削後

石畳
傍らに草の
秋見つけ

ここに注意!!
よく陥りがちなことは？

句の中で、取ってつけたような無意味な助詞がつけられる場合がよくあります。作者は句意に沿うように言葉をまとめているつもりでそうなるのでしょうが、あまり効果的とは思えません。また、「切れ字」（P70参照）を意識して作句しようとした場合、うっかりと単なる字余りとなることがありますので、ご注意ください。

上達ポイント

1 句意を整える

中七に「道の傍ら」（七字）と「傍らに草の」（八字）を入れ替えて、作者の感動を表現した句意を整えてわかりやすくしました。

2 句の中の特定の言葉が際立つように言葉をまとめる

下五を「秋見つけ」とすることで、秋を感じたときの感動がより伝わりやすくなりました。

良い句をつくる上での上野先生からのアドバイス

たとえ字余りであったとしても、ほかの言葉に替え難いのであれば、あえて字余りのままでいいでしょう。その言葉に変え難いという組み立て方で句がまとまっていれば、それは効果的です。

②「字足らず」を効果的に！

「字余り」と同じく破調のパターンですが、そこにその言葉でなければ味わえない独特なリズムや印象を作り出すことができれば、「字足らず」であっても効果的です。

原句

柚子香り
台所にて
母娘（ははむすめ）

添削

柚子香り
台所にて
母娘

印象を深めるため
言葉を外来語に
変換してみる

鑑賞のポイント

お台所で母と娘が柚子を使ったお料理をしている情景が浮かび、和やかで現代の母娘を表現している家庭的な句。

添削後

柚子香り キッチンに 母娘

上達ポイント

1 言葉を外来語に変換してみる

あえて外来語を使って印象を深めています。

2 独特なリズムをかもし出す

中七を「五音」にすることで独特なリズムをかもし出しています。字足らずが効果的です。

よく陥りがちなことは？

リズムや調子がよく整えられていると効果的ですが、ともすると、物足りなさや表現の粗さを印象づけてしまいがちです。そうならないように注意しましょう。

良い句をつくる上での上野先生からのアドバイス

推敲に推敲を重ねて、その言葉以外に作者が表現したい言葉が見つからない場合には、たとえ字足らずでもいいでしょう。そこには、他に真似のできない独特な個性ある一句が生まれていることでしょう。

③「句またがり」でも句の個性が生かせれば効果的！

五七五の三フレーズに上手く区切れない言葉がある場合があります。そうした破調でも、全体としてうまくまとまっていれば手法として効果的です。

原句

朝の風
南天の実を
すり抜ける

鑑賞のポイント

南天の実が生っている庭の隅を、朝の風が吹き過ぎてゆく景色を詠んでいます。

添削

朝の風
南天の実を
すり抜ける

下五を体言止めに変更してリズムを整える

添削後

南天の実をすり抜ける朝の風

ここに注意!!　よく陥りがちなことは?

この技法をむやみに使おうとするのは考えものです。句またがりにしても、感動や驚き、作者の気持ちがそこに効果的に出せないことがあります。

上達ポイント

1　下五でリズムを整える

上五と中七が句またがりとなり、下五の体言止めがリズムを整えています。

2　感動と驚きを表現

あえて破調にすることで、自然の不思議さへの感動と驚きを表現しています。

良い句をつくる上での上野先生からのアドバイス

破調であるため、推敲して五七五の定型にできるものであればそうしましょう。しかし、句の中の一言一言が物切れでまとまらず、句意が理解しづらい場合には「句またがり」もおおいに効果的です。

ステップアップのコツ 4

作句の技術

俳句　川柳

「取り合わせ」の技法をうまく使いましょう

「取り合わせ」とは、季節を表わす季語と、それと関連性のない物や事象を組み合わせることをいいます。また、この組み合わせの二つの言葉が、似すぎていると「ついている」といい、それらの意味がかけ離れていると「離れている」といいます。
言葉の組み合わせが絶妙であれば、その句の幅が広がり想像力を掻き立てられる素晴らしい句ができます。

鑑賞のポイント

潮の流れもすっかり秋らしくなり、浜の風も秋の風であると詠んでいます。

原句

黒潮の
風遠からず
秋の風

添削

黒潮の
風遠からず
秋の風

「黒潮の風」に対する意外な取り合わせを考えてみよう

意外性のある季語を使おう

添削後

黒潮の風遠からず梨の生（な）る

ここに注意!!
よく陥りがちなことは？

「取り合わせ」に関しては、作者にしかわからない突拍子もない言葉を組み合わせることもありますが、説明が無ければ句の意味がわからないといったことにならないように注意しましょう。

上達ポイント

1 意外な取り合わせにしてみる

「黒潮の風」と「梨」の意外な取り合わせが、句自体の面白さを引き出しています。

2 意外性のある季語を使う

意外性のある季語を使うこともオススメです。この句は秋の句ですので、「秋の風」などの季語を考えますが、そこを「梨の生る」としています。

良い句をつくる上での上野先生からのアドバイス

発想の展開や意外性が、素晴らしい効果をもたらします。少し工夫をして、なかなか思いつかない言葉の取り合わせを考え出してみましょう。

ステップアップのコツ 5

作句の技術

「二物衝撃」の技法をうまく使いましょう

俳句　川柳

「二物衝撃」とは、先述のように一句の中で、二つの事物（主に、季語と別のモノ・コト）を取り合わせることで、両者に相乗効果を発揮させることをいいます。

極端な事物を組み合わせたり対比させたりして、インパクトを出すことで、句の印象を鮮明にして感動を呼んだり、作者の意図を際立たせたりします。

（いまいちな句の例）

原句

なんでまた
こんなはずでは
水羊羹

鑑賞のポイント

どうしてこんな事になってしまうのか、いいようのない口惜しい悩みに、夏の水羊羹を取ろうとするとつるつると滑り、もどかしいと詠んでいます。

添削

なんでまた
こんなはずでは
水羊羹

より意味をわかりやすくするために、語句を変更する

添削後

なんでまた取っては滑る水羊羹

ここに注意!!
よく陥りがちなことは?

あまり奇をてらい過ぎると、わかりづらい、意味の読み取れない句となりがちです。二物衝撃のほどよい効果が出るように言葉を選びましょう。

上達ポイント

1 意外性を出す

思うようにならない作者の悩みに「水羊羹」という具象性のある季語と取り合わせて衝撃的に二つの想いを詠み込んでいます。

2 意外性のある言葉を使う

もどかしい思いを水羊羹に託すことで、句意が深く伝わってきます。

良い句をつくる上での上野先生からのアドバイス

二つのことが整理され、その組み合わせ方がよいと、効果的な衝撃を生みます。効果的にまとめるためには、何を表現したいがための組み合わせなのかをはっきりとさせることが必要となります。

ステップアップのコツ 6

作句の技術

比喩表現をうまく使いましょう①

俳句　川柳

直喩表現を盛り込む

直喩は直接的なものの喩えです。「たとえば」「あたかも」「如し」などを用います。
自然の生物を何か人の気持ちや人物に喩えたり、物を生きた人に喩えたりすることで、句から想起されるイメージにより深いインパクトを与えます。

原句

夜のくらさ
紫紺に染まる
茄子漬け

鑑賞のポイント

なすびの漬物がまるで暗い夜の紺色のような濃い紫色に漬かり、とても美味しそうだと詠んでいます。

添削

夜のくらさ
紫紺に染まる
茄子漬け

イメージにインパクトを与えるため語句を変更する

添削後

夜の如く
紫紺に染まる
茄子漬け

上達ポイント

1 イメージにインパクトを与える

暗い夜の色に喩えてイメージにインパクトを与えます。

2 食材がより美味しそうに感じる

見た目の色は、対象が食材であれば、そのままより一層美味しそうに感じます。

よく陥りがちなことは？

ともすると、安易な喩えや、すでに使い古された言葉の真似になりやすいのが注意点です。また、よく使われる喩えであっても、句意からすると不自然な場合もあります。

良い句をつくる上での上野先生からのアドバイス

言葉で説明する必要がないような、当然な喩えなどはあまり使わないようにしましょう。直喩は、意外な組み合わせや、心を表現するときに詠み込む言葉などに有効です。

ステップアップのコツ 7

作句の技術

俳句 川柳

比喩表現をうまく使いましょう②

隠喩表現を盛り込む

隠喩とはたとえていうことですが、あからさまに「如し」や「ようだ」と表現しない場合にいいます。

原句

虹鱒（にじます）の 尾まで跳ねてる 吊り橋亭

鑑賞のポイント

虹鱒の姿焼きがおいしそうな川沿いの吊り橋亭のお料理を詠んでいます。

添削

虹鱒の 尾まで跳ねてる 吊り橋亭

五感を刺激するような表現に変更する

添削後

虹鱒の　尾まで波打つ　吊り橋亭

上達ポイント

1 五感を刺激する表現

「波打つ」という表現が五感を刺激します。虹鱒の姿焼きが見事に波打つように焼けていることがよくわかります。

2 たとえ方次第でさまざまな印象を与えることができる

「波打つ」という表現は水、魚を想起させるのと同様に、その言葉次第でさまざまな印象を与えることができます。

不自然で共感が持てないたとえ方をしないように注意しましょう。

良い句をつくる上での上野先生からのアドバイス

句意がわかりやすく作者の意図が明確であれば、この手法は特に効果的です。共感の持てる想像力を働かせた発想で、なにかをたとえて詠むと深い印象が残るでしょう。

作句の技術

比喩表現をうまく使いましょう③

俳句　川柳

擬人法の表現を盛り込む

擬人法は、短い表現の中で読者に理解してもらうための、わかりやすく実感のわく表現ができます。

原句

とうもろこし
つぶの揃えば
整然と

鑑賞のポイント

とうもろこしのつぶが整然と規則正しく並んでいる様を詠んでいます。

添削

とうもろこし
つぶの揃えば
整然と

温かさとユーモアが伝わる様に語句を変更する

添削後

とうもろこし
つぶの揃えば
笑顔の歯

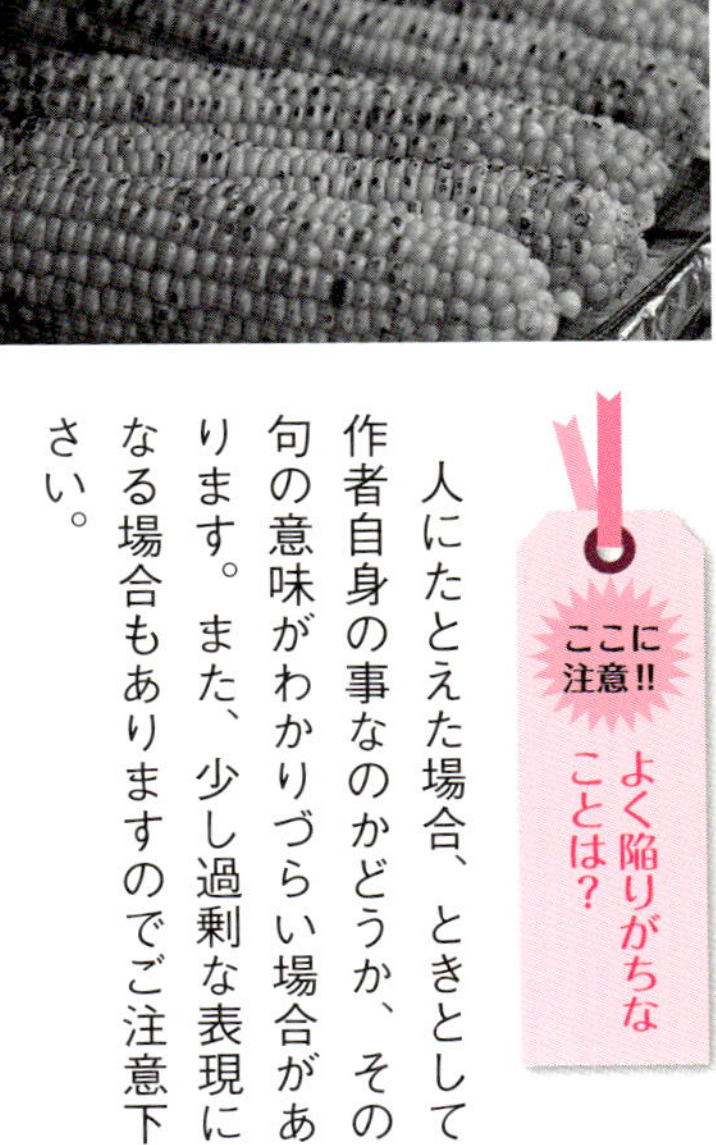

人にたとえた場合、ときとして作者自身の事なのかどうか、その句の意味がわかりづらい場合があります。また、少し過剰な表現になる場合もありますのでご注意下さい。

上達ポイント

1 温かさとユーモアが伝わるように擬人法の表現に語句を変更する

詠み手の人としてのぬくもりが感じられます。

2 作者の心情が伝わるように共感が持てる語句を選ぶ

とうもろこしのつぶを笑顔に見立てる作者の心のあり様が感じられます。

良い句をつくる上での上野先生からのアドバイス

俳句を上手くまとめるには内容が第一です。このような作句の手法的な部分は、その句のなかで、その言葉がどんな意味を表現しているのかに掛かりますから、共感が持てる比喩表現であれば擬人法も効果的です。

ステップアップのコツ
9

作句の技術

比喩表現をうまく使いましょう④

俳句 川柳

擬物法の表現を盛り込む

「物」に作者の想いを込めるということになります。日常の生活の家具や雑貨などに想いを込めて俳句に凝縮して詠み込みます。これは効果的でよく使います。

原句

青みかん
ころころ居場所
定まらず

鑑賞のポイント

青みかんのように、まだ若い内には心が定まらずに居場所が落ち着かないものだと詠んでいます。

添削

青みかん
ころころ居場所
定まらず

より意味をわかりやすくするために、語句を変更する

添削後

青みかん未だ居場所の定まらず

ここに注意!!
よく陥りがちなことは?

人の想いをモノに詠み込む際、たとえば、皮肉や値段が高い、食べ物が腐っているというような、よくない喩えもしてしまいがちです。しかし、その句自体の品格が疑われかねませんので、あまりそうした使い方はしない方がよいでしょう。

上達ポイント

1 日頃からモノをよく観察する

読者の関心を惹き付ける絶妙なたとえができるようになるには、日ごろからモノをよく観察することから始まります。

2 たとえがよくないと句自体の品格にかかわる

作者の想いをモノに喩える際、俗なよくないたとえは極力避けましょう。

良い句をつくる上での上野先生からのアドバイス

写生句※の基本に返り、無理なくその想いを上手く表現して詠み込むと効果的です。美しい句にまとまります。

※写生句:句を詠むにあたり、「見たまま」を作句するという創作姿勢のこと。

ステップアップのコツ 10

作句の技術

俳句 川柳

「オノマトペ」をうまく使いましょう

オノマトペとは擬音語と擬態語の総称のことですが、俳句にオノマトペを有効に使うと句のインパクトや印象を深め、さらに臨場感を高める効果を生みます。

原句

固い皮 南瓜(かぼちゃ)を割れば 空洞か

鑑賞のポイント

固くて皮の厚い南瓜でも割ってみれば中は空洞だと詠んだ句です。

添削

固い皮 南瓜を割れば 空洞か

単純な言葉を替えて俳諧味を出す

オノマトペの例

擬音語	擬態語
さらさら	キラキラ
ゲラゲラ	くるくる
ばたばた	デレデレ
みんみん	うきうき
こんこん	ギンギン
キャンキャン	さらり

添削後

コチコチの南瓜を割れば空洞か

上達ポイント

1 単純な言葉を替えて俳諧味を出す

「コチコチ」で南瓜の表面の固さに俳諧味が出ます。

2 リアルに想像をかき立てられ、臨場感が増す

受け手にもリアルに想像をかき立てられ、臨場感が増します。

ここに注意!! よく陥りがちなことは？

詠み手にとって上手く使えば、句意がわかりやすく伝わり、しかも柔らかさが出るため、魅力的な手法の一つですが、読者にとってはリアルに想像をかき立てられる分、好き嫌いがはっきりし、共感が持てないということになりかねません。使う表現を適切に選び、少なくとも、突拍子もない表現にならないように注意しましょう。

良い句をつくる上での上野先生からのアドバイス

オノマトペは、作者本人が素直に、感じた音を表現したい、そのときの印象を伝えたいと思ったときに使いましょう。

ステップアップのコツ
11

作句の技術

俳句　川柳

「日本語力」アップ
～「てにをは」を考慮しましょう～

語句と他の語句との関係を示したり、文章に一定の意味を加えたりする助詞の「て」「は」「を」「が」「も」「に」「と」などを上手に使うと、句に特定の意味と印象を与えます。

原句

残花へと雨水(あまみず)したたる宵小雨

鑑賞のポイント

桜の花がまだ咲き残っているところへ、夕方の宵の口に小雨がぽつりとひと粒落ちて来ました。なんと風流で、惜しみゆく春の美しいことでしょうと詠んだ句です。

添削

残花へと
雨水したたる
宵小雨

五七五に整える

添削後

残花へ
ひとつぶ落ちて
宵小雨

◆俳句のリズムが五七五に整いました。季語が「残花」で春です。

上達ポイント

1 五七五の定型に整える

原句の中七が八文字であったのに対して添削後の句は七文字となり、定型に整いました。

2 適切な助詞が情景描写を助ける

雨のしずくが花にしたたり落ちていく様子がありありと浮かびます。

ここに注意!! よく陥りがちなことは？

作句においては繊細な部分といえます。十分に推敲ができていないと、助詞が間違って、句意とは違った意味合いが出てしまうことがありますので、注意しましょう。

良い句をつくる上での上野先生からのアドバイス

作者が俳句にまとめるに当たっての意図が最優先です。「てにをは」を適切に使えるようになって、さらに個性的な素晴らしい俳句を創造して下さい。

ステップアップのコツ 12

作句の技術

推敲のレベルを上げましょう

俳句　川柳

よい句を作れるかどうかは、ひとえに推敲力がものをいいます。つまり、作っただけで満足してしまうのではなく、あと一歩の努力をしてみましょう。本項では、推敲のコツをお伝えいたします。

（1）五・七・五のリズムを整える

朝風とかんれんぼして小鳥きたる
↓朝風とかんれんぼして小鳥来る（く）

朝の爽やかな風を感じるのが早いか小鳥の姿を見かけるのが早いか。秋の訪れは朝な夕な追い立てられてかくれんぼでもしているようですね。そんな初秋を詠んだ句です。最初の句の下五は六字を五字定型に直しました。

（2）季語を吟味する

夕かねてどこで鳥鳴く年末に
↓夕かねてどこで鳥鳴く年の内

「年の内」年末のことですね。歳末の夕暮れせまる街のどこかで鴉（カラス）などが鳴いているようです。そんな光景に年末の忙しさがあいまって、どこかで鳴く鳥の声まで切なくて今日の一日を惜しむように聞こえるという句です。日本人独特のセンスが感じられる句に仕上がりました。

（3）説明的過ぎる句の場合は、言葉や言葉の順番を変更する

短冊に願いを一句星祭
→この一句届け夜空の星祭

星祭りの日に短冊に願いをこめて一句したためたという句です。年に一度の七夕様に祈るような気持ちを詠んでいます。季語は「星祭」で秋です。

（4）句意を考えて言葉を選択する

木立より身に沁む寒い風が吹く
→木立より身に沁む風の声がする

「身に沁む」は秋の季語です。秋の風は、哀れで心に深く沁みてくるようですね。ましてや木々のざわめきは物悲しくて泣いているようでもありますね。そんな秋風を詠んだ句です。

（5）季節が混乱していないかをチェックする

鮎泳ぐ皮の衣に山の色
→下り鮎皮の衣に山の色

鮎が川から下りて来ます。秋の山々の紅葉をまるで鱗や背中の鰭（ヒレ）などに写したように斑点が現れる成長した落鮎の姿を詠んだ句です。最初の句の「鮎」だけでは夏の季語です。季語を「下り鮎」とすることで秋になります。こうした混乱がないように注意しましょう。

ステップアップのコツ 13

作句の技術

名句を鑑賞することも大切

俳句　川柳

歴史的な名句を鑑賞することもステップアップにつながります。

●古池や蛙飛び込む水の音

（松尾芭蕉［まつおばしょう］）

江戸時代前期の代表的な俳人。「わび」・「さび」・「軽み」などの蕉風にたどりつく。句意は、草庵のかたわらにいかにも古い水の淀んだ池があり、静かな春の日に静寂を破り蛙がその水の中に飛び込む音がして、辺り一面に響き渡っていると詠んでいます。

●我と来て遊べや親のない雀

（小林一茶［こばやしいっさ］）

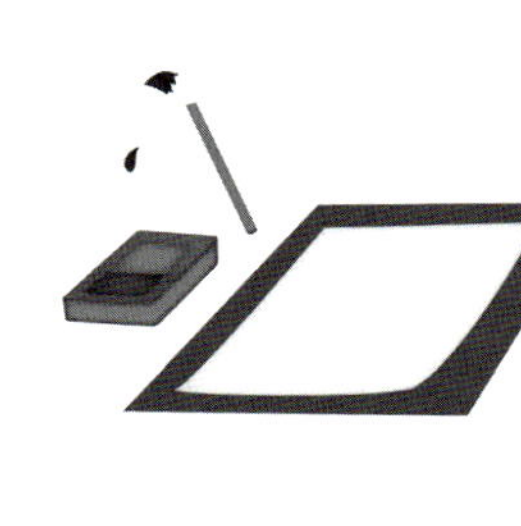

江戸時代後期を代表する俳人。俗語や方言まじりの生活感情に根ざす句を多く残した。句意は、巣から落ちたか、親と別れた子雀よ。母を亡くした私の所へ来て一緒に遊ぼうではないかと詠んでいます。

●梅一輪一輪ほどの暖かさ

（服部嵐雪［はっとりらんせつ］）

江戸時代前期～中期にかけて活躍した俳人。句意は、梅の花が一輪咲いた。冬の寒さが少しやわらぎ、その一輪にほのかな暖かさを感じることだと詠んでいます。

●菜の花や月は東に日は西に

（与謝蕪村［よさぶそん］）

江戸時代中期の代表的な俳人、画家。句意は、野原一面に菜の花が咲いています。東には月が昇り、西の空へは夕陽が沈んでゆく。なんて美しい光景でしょうと詠んでいます。

●朝顔に釣瓶とられてもらひ水

（加賀千代女［かがのちよじょ］）

江戸時代の天才俳人。朝、水を汲もうとすると井戸の釣瓶に朝顔の蔓がからみついて美しい花を咲かせています。切ってしまうのが可愛そうなので隣の家からもらい水をいたしましたと詠んでいます。

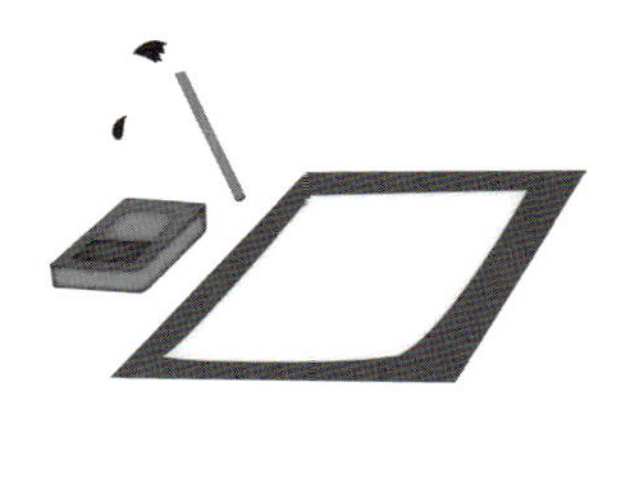

●柿くへば鐘が鳴るなり法隆寺

（正岡子規［まさおかしき］）

明治時代を代表する俳人・歌人。法隆寺に立ち寄った後、茶店で一服して柿を食べると、途端に法隆寺の鐘が鳴り、その響きに、つくづく秋を感じるなぁと詠んでいます。

●春の灯や女は持たぬのどぼとけ

（日野草城［ひのそうじょう］）

昭和時代初期の俳人。句意は、春のほのぼのとしたあかりに照らされた夜だ。女は優しく男性とは違い無骨なのどぼとけを持たない美しい姿であるなぁと詠んでいます。

●しんしんと寒さが楽し歩みゆく

（星野立子［ほしのたつこ］）

高浜虚子（きょし）の次女で、昭和時代を代表する俳人。寒さがしんしんと身に沁みる頃となりましたが、負けずに歩んで行きましょう。この寒さも、また楽しいものですと詠んでいます。

ステップアップのコツ 14

作句の技術

上達するために句会に参加しましょう

俳句　川柳

俳句にはさまざまな楽しみ方がありますが、最後に普段最も多く行われている句会のやり方、参加の仕方などをおおまかにまとめてみましょう。

準備

短冊、清記用紙、選句用紙。
短冊は簡単に半紙などを切って句会用に手軽な大きさの小短冊を用意するとよいでしょう。

■進め方

①出句

各自の作品を一句ずつ短冊に無記名で書き、締め切り時間までに提出する。
出句数は人数に応じて決めておく。

←

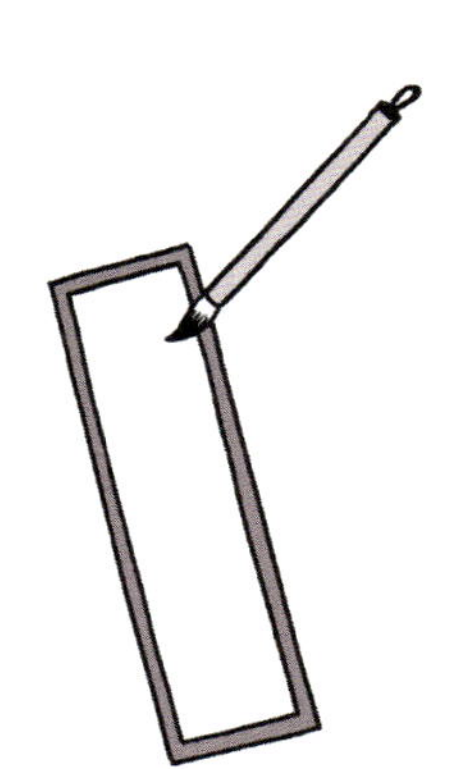

②清記

出句された作品を別紙に書き写します。そもそも誰の句か筆跡からでは解らないようにするのが清記。提出された短冊を集め、それを出句と同数全員に配り清記用紙に各自が書き写す。書き終わったら、ページ番号を記入。最後のページには、それを明確にするために番号の後に「止メ」と書く。

③選句

何句選ぶかあらかじめ決めておく。名前を明記して、選句用紙に選句した句を書き写す。

④披講と名乗り

披講とは、選んだ句を読み上げること。聞き取りやすい声で、間違えなく読み上げる。披講者は、自分の名前を読み上げ、まず自分の選句から読み上げる。名乗りとは、披講者に自分の句が読み上げられたら名前をいうこと。点盛りの係りが名前を明記して、得点を記録しておく。

⑤選評

選んだ句について、披講のあとで、どこがよかったか悪かったか問題点を指導者が述べ、それについて話し合ったりする。これを聞くことが上達の秘訣。

作句の技術

俳句はリズムが大切

俳句

日本人には江戸時代以前から五七調や七五調といわれる言葉のリズムが多く好まれていたようです。そして、現代まで受け継がれています。

俳句は、言葉では表わされていない部分を想像し、言葉を凝縮して詠みます。そこには自ずと凝縮された言葉のリズムが生まれます。このリズムを整えることが大切です。

原句

散る紅葉
ゆっくりと雲は
山を越え

添削

散る紅葉
ゆっくりと雲は
山を越え

より意味をわかりやすくするために、語句を変更する

「雲」と対比の語句に変更する

鑑賞のポイント

紅葉の散る初冬の景色から、山の移ろいの早さと雲の流れのゆったりとした大きさの対比に時代の流れを詠んでいます。

添削後

散る紅葉
雲はゆっくり
空をゆく

上達ポイント

1 リズムには対比の面白さも大切

「雲」と「空」を対比しています。

2 リズミカルに動きのある表現を

「ゆっくり〜ゆく」にリズムを感じます。

3 自然の雄大さを美しく表現

この句が原句と比べてよくなっている点は、紅葉・雲・空という自然の雄大さが美しく表現されていることです。

その他の例句

■対比の面白さ

海と空
どこまで続く
鰯雲

「海の色と空の広さを秋の鰯雲の広がりに喩えて詠んでいます。」

■動きのある表現の面白さ

時折の
雨雲はしり
柿固し

「柿の実はまだまだ固く時々雨雲があっという間に通り過ぎ、移り行く秋を感じる句です。」

その他の例句

■光景の面白さ

地曳網
朝の光に
鰯跳ね

「九十九里浜のひろい砂浜での地曳網と鰯の光景を詠んだ句です。」

このように俳句は言葉のリズムが大切だからと、よく切れ字の「や」を使い、風流な日本語の調子を楽しんでいる方がいますが、この「や」は修飾的な役目も大きいですが、やはり切れ字といわれていますから、そこで句の意味が二つに切れてしまうことを忘れずに作句して下さい。逆にわかり辛い句になる場合がありますのでご注意ください。

良い句をつくる上での上野先生からのアドバイス

リズムの美しい句は、やはりその句の想いが上手く伝わり易くまとめられています。無理に五七五の十七音十七文字に縮めるのではなく、言葉のリズムが整っていると、読者や選者の共感を得ることができます。

ステップアップのコツ 16

作句の技術

「切れ」を意識しましょう

俳句　川柳

「切れ」とは、文章でいうところの「。」に当たります。なぜ、「切れ」が大切かというと、句意をはっきりとわかりやすくするための技法だからです。言葉の意味が切れるところにこの技法を使います。「切れ」には、余韻を深めたり語調を整えたりする効果があります。

原句

去る雨に
傘を杖とし
秋の午後

鑑賞のポイント

気まぐれな秋の雨が止んだ後の、傘の手持無沙汰を詠んだ句です。

添削

去る雨や
傘を杖とし
秋の午後

体験した事実をより強調するために、語句を変更する

添削後

豪雨去り
傘を杖とし
秋の午後

上達ポイント

1 上五で句の切れをつくる

その句の意味がはっきりとわかりやすくなります。この場合は切れ字は必要ありません。

2 語調を整える

原句と比べて、より語調が整っています。

その他の例句

秋時雨（あきしぐれ）　空っぽの　巣箱をぬらす

「秋の時雨が降っています。天気が悪いので小鳥のいない空っぽの巣箱は、降っては止む時雨に濡れているようで寂し気であるという情景を詠んだ句です。「秋時雨」の名詞で切れています。」

年輪を加え　大地へ　紅葉散る

「紅葉が美しく燃えるように色付き、そして散ってゆく姿は、年輪を重ねてゆく木々の生物としての力強さと大地からの生命力を感じて詠んだ句です。最後の下五で言葉が区切れ、終止形で上手く句意が完結しています。」

その他の例句

蕗の薹誰が見つけた跡だろう

「蕗の薹が生えている。ところが何とその周りにはすでに掘り取られている跡があり、もう誰かが見つけて先に取って行ったのだと驚いている早春の訪れを詠んだ句です。「蕗の薹」の名詞で切れています。」

無意識にレトリック的に使うと句の意味があいまいになりかねません。「切れ」は、句意が伝わりやすくするためや、句の言葉のリズムを上手く整えるために使いましょう。

良い句をつくる上での上野先生からのアドバイス

「切れ」は、ここで句の意味が切れることを忘れずに作句しましょう。

ステップアップのコツ 17

作句の技術

俳句

「切れ字」を意識しましょう

「切れ字」は、句の途中や句の最後に挿入される「や」「かな」「けり」といった言葉のことをいいます。意味は「～だなあ」「～であることよ」となります。切れ字には前の言葉を強調する効果があります。言葉の意味が切れるところに上手くこの技法を使うと、その句の意味がはっきりとわかりやすくなります。そして、「切れ」と同様に余韻を深めたり語調を整えたりする効果があります。

原句

鶯に
明日(あす)の天気の
願(がん)かける

鑑賞のポイント

鶯が鳴いています。やっと春が来て美しい声で鳴いているのですから、その鳴き声で明日はよいお天気になるといいなぁという気持ちを詠んだ句です。

添削

鶯に
明日の天気の
願かける

接続詞を変更する

切れ字を使ってバランスを整える

添削後

鶯や
明日（あした）天気に
しておくれ

上達ポイント

1 上五の季語を強調する

春の季語「鶯」を引き立てています。

2 句のバランスを整える

切れ字によって、上五と中七、下五のバランスが整います。

その他の例句

夕立や　浜のベンチの　去り難く

「夕立が降って来ました。急なことで濡れてしまってもなかなか浜の見晴らしのよいベンチから立ち去りづらい気持ちを詠んだ句です。夕立の情景とベンチにいる作者との間に「や」の切れ字を使うことでこの句にドラマを生んでいます。」

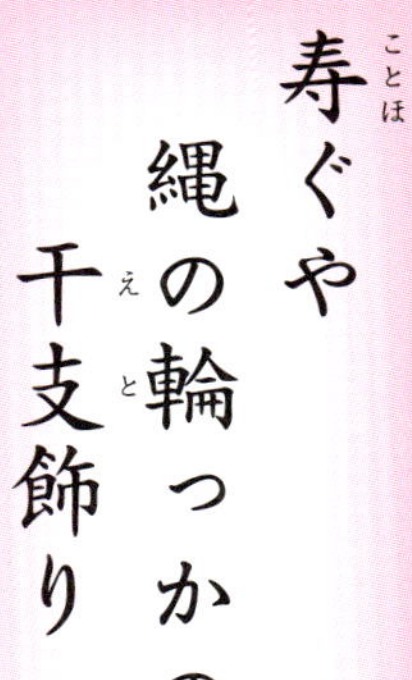

寿（ことほ）ぐや　縄の輪っかの　干支（えと）飾り

「お正月を祝う句です。何とお目出度いことでしょうか。縄を輪に編んだ干支のお飾りがさがっています。年神様が宿っていることでしょう。切れ字「や」が効いています。」

その他の例句

夕月夜 見るほどに 星ふえにけり

「夕方の月が出はじめている。あっという間に月が星に変わりみるみる星が増えてしまい、月はどこへやらという夕刻の空の変化の激しさを詠んだ句です。切れ字「けり」が効いています。」

「切れ字」が意味なく乱用されていることが見受けられますが、これはよくありません。あくまでこの技法は、句意が伝わりやすくなるためや、句の言葉のリズムを上手く整えるために使いましょう。

良い句をつくる上での上野先生からのアドバイス

「切れ」と同様に、ここで句の意味が切れることを忘れずに作句しましょう。例えば代表的な切れ字の「や」であれば、感嘆を表わし、「哉（かな）」であれば、そこで終わることが鉄則です。また、「けり」であれば、そうであったという過去のことに使うということなどを念頭において効果的に使いましょう。

作句の技術

あえて「文語」にしてみましょう

俳句

俳句の文体には、口語と文語の二つがあります。

ここでいう口語とは、現代の話し言葉を基準とした言葉遣いで、現在の書き言葉としての「口語体」（現代の文語／書き言葉）も含まれます。

一方の文語とは、昔の書き言葉のことをいいます。

多くの俳句作家は、口語と文語を上手く使い分けています。これは、慣習的ないい回しや表現に大きく左右されますが、あえて文語を使う場合は、短い五七五のリズムに添ってまとめるためであったり、句の格調を高めたりするときに使われます。

また、単純に「切れ字」に文語を使う場合もあります。

口語と文語の違い例

口語	文語
〜のようだ	〜のごとし
このように〜	かく〜
〜だけ	〜のみ
描く	描きたり／描けり
悩む	悩みたり／悩めり
立とうとする	立たんとする
点灯させる	点灯さす
来る	来（く）
〜したい	〜たし
〜でない、〜したけれど	〜ず、〜ぬ
〜ない	〜なし
〜である、〜だ	〜なり

原句

振り向けど
時は帰らない
春の夢

添削

振り向けど
時は帰らない
春の夢

中七のリズムを
整える

春のはかない夢を詠んだ句です。

添削後

振り向けど
時は帰らず
春の夢

上達ポイント

1 リズムを整える

この句は、ときが戻らないという打消しの表現でまとめていますね。このように、よく言葉のリズムが五七五にまとまり切らないときに文語を使うことが多いです。

2 字数の多い口語の打ち消し表現は文語にするとまとまりやすい

「～ず」や「～ぬ」という表現は、「～したけれど」や「～でない」などの字数の多い口語の打ち消し表現よりも俳句らしくまとまります。

その他の例句

ふり向けば雲すでになし聖五月

「この句は中七に「なし」という文語を使いました。口語では「ない」ですが、言葉のリズムが散文的で響きや調子がよくないため文語を使っています。」

林檎剥く母とはなれぬ妻のまま

「この句も打ち消しですね。リズムを整えるために文語を使うのは、このような場合にやはり多いです。」

その他の例句

夕ぐれて　うすば蜉蝣（かげろう）　かすかなり

「この句は、最後の「なり」が断定を表わす文語ですが、口語だと「だな」となるので語調が強すぎます。そこで文語で表現してまとめています。俳句らしい柔らかさが出ていますね。」

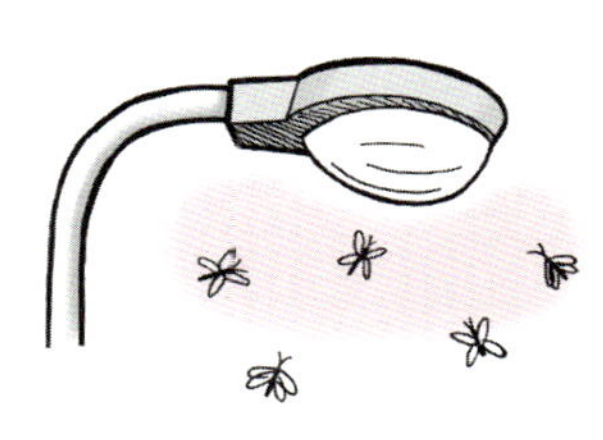

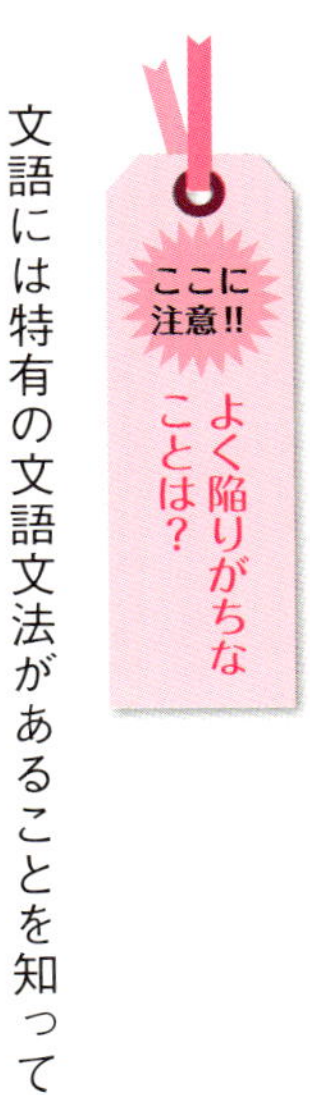

文語には特有の文語文法があることを知っておきましょう。具体的には、言葉の活用などに気をつけましょう。

文語の場合には、文を中止する場合や動詞につなげる場合の活用形である「連用形」や、体言（名詞・代名詞）につながる活用形である「連体形」など、少しわかりづらい活用形があります。

例：

・口語：書く→書きて（文語連用形）、書く（文語連体形）

・口語：起きる→起きて（文語連用形）、起くる（文語連体形）

良い句をつくる上での上野先生からのアドバイス

慣れないうちは、あまり細かい文語文法にこだわらなくてもよいと思います。ご自身の思いが伝わる句を作りましょう。

ステップアップのコツ 19

作句の技術

俳句

あえて「話し言葉（口語）」にしてみましょう

口語は、現代の生活に自然に使われているものです。ですから、口語を使用する効果としては、作者がいいたいことや想いが、読者にストレートにわかりやすく、感動も表現しやすいことです。また、柔らかな女性的な表現をしたいときにもよいでしょう。

原句

爽やかな 朝に椋鳥（むくどり）の 鳴く声

添削

爽やかな 朝に椋鳥の 鳴く声

下五を口語でまとめてわかりやすくする

鑑賞のポイント

秋になり椋鳥が鳴く声が清々しさを運んでくれると詠んでいます。

添削後

爽やかな朝椋鳥の声がする

上達ポイント

1 句意をわかりやすくする

下五を口語でまとめるとわかりやすく現代の言葉を使ったリズムが整います。

2 事象を具体的に表現する

椋鳥のさえずりを聴く側からの具体的な表現です。

その他の例句

星月夜
北極星は
いずこかな

星月夜
北極星は
どこにある

「美しい星の空、北極星はどこ？　いったいどれが何の星なのだろうか？　名前までわからないいほど満点の星空であると感動が伝わる句です。」

その他の例句

紆余曲折
温め酒が
我の友

紆余曲折
なんでこうなる
温め酒

「紆余曲折、事情がこみいっていろいろ複雑で、どうしてこんなことになるのか見当もつかないような、そんなときには、一杯の温かいお酒でものんで気分を晴らしてしまいましょうという句です。」

口語にするとわかりやすいのですが、ともすると、俳句としての情緒や風情などの「俳句らしさ」が損なわれてしまうこともあります。そのようにならないように気をつけましょう。

良い句をつくる上での上野先生からのアドバイス

口語は現代の文章に使われている文法を用いています。ですから、作者の想いを共感しやすいですね。ストレートな表現も今の時代を写す言葉の鏡となり効果的です。

ステップアップのコツ 20

作句の技術

俳句

「季語選び」を工夫しましょう

俳句の基本は、「季語」という季節を表わす用語をひとつ入れる有季定型です。
表現したい句の内容に合った季語が上手く見つかると、作品としての完成度が上がりますし、改めて季語の意味を再発見できたりします。

原句

命ある
ものの営み
燕の巣

鑑賞のポイント

燕は春になると毎年同じ場所に巣を作ります。そんな生命の神秘を詠んでいます。

添削

命ある
ものの営み
燕の巣

季語を替えて
句意をうまく
まとめる

添削後

命ある
ものの営み
つばくらめ

上達ポイント

1 句意を上手くまとめる

「つばくらめ」とは燕のことです。季語を替えることで句意が上手くまとまります。

2 情緒性を高める

命のない「燕の巣」を詠むよりも情緒性が高まります。

その他の例句

寒の水　こころに喝を　受けるほど

季語「寒の水」

「寒の冷え込んだ時期の水は冷たさも厳しく、まるで心の緩みに喝を入れられたように背筋を正されるような気持ちになりますね。そんな気持ちを詠んだ句です。」

菜の花の　おしゃべりしてる　朝の風

季語「菜の花」

「菜の花が４枚の可愛い花弁を沢山集めて咲いています。その姿は野辺や田んぼの田舎道などで朝風と何やらおしゃべりしているかのようだという田園風景を詠んだ句です。」

その他の例句

幼子のすすめられてるお白酒

季語

「白酒」

「幼い子供がこの日だけはと、お雛祭りのお白酒を大人から進められている光景が浮かびます。女の子のお祭りなので、お酒が飲めるか飲めないのか好き嫌いもあり楽しく宴を催している。そんな場面を詠んだ句です。」

よく陥りがちなことは？

季語にとらわれすぎると、句全体が季語を説明する内容になりがちです。また、季語は名詞ばかりとは限りませんから注意しましょう。

季語が名詞ではない例：「鳥（とり）雲（くも）に入（い）る」（春）、「鳥帰（とりかえ）る」（春）、「蛇穴（へびあな）に入（い）る」（秋）など。

良い句をつくる上での上野先生からのアドバイス

理想的には、詠みたい作者の意図がはっきりとわかるように一句をまとめることが大切です。その過程で季語を選択する際、実際の季節の移り変わりと暦の上での季節の変化には、単なる新旧の暦のずれのみにとどまらず、どうしても感覚的なズレが生じます。そこが日本語の難しいところです。季節の言葉は辞書や歳時記、季寄せなどでこまめにチェックすると、季語の使い方において単純な間違いはなくなるでしょう。

季語一覧

季語	その意味
立春（りっしゅん）	二月四日頃：節分の翌日この日から春となる。
雨水（うすい）	二月十八日頃：雪も雨に変わり、張っていた氷が解け始める。
啓蟄（けいちつ）	三月六日頃：早春の気配が感じられ、少しずつ暖かくなる。
春分（しゅんぶん）	三月二十一日頃：彼岸の中日。この日以降昼が長くなる
清明（せいめい）	四月五日頃：天地万物に清朗の気があふれてくる。
穀雨（こくう）	四月二十日頃：春雨が田畑を潤し、穀物の成長を助ける。
建国記念日（けんこくきねんび）	二月十一日：神武天皇即位の日を設定して祝日とした。
雛祭（ひなまつり）	三月三日の女の子のお祭り。桃の節句。
春分の日（しゅんぶんのひ）	三月二十日：自然をたたえ生物をいつくしむ日。
昭和の日（しょうわのひ）	四月二十九日：昭和天皇の誕生日に当たる。

季語	その意味
憲法記念日（けんぽうきねんび）	五月三日：日本国憲法の施行を記念する日。
みどりの日	五月四日：自然に親しむとともにその恩恵に感謝し、豊かな心をはぐくむ日。
こどもの日	五月五日：子供の人格を重んじ、子供の幸福をはかる趣旨で制定。
梅（うめ）	早春に葉に先だって花が咲く。五弁で香気が高い。
桃（もも）	桃色で初めは薄くだんだん濃いピンク色の花を開く。
菜の花（なのはな）	アブラナの花。種から菜種油を採る。
桜（さくら）	日本の花の代表。染井吉野を始め品種も多い。花といえば桜をいう。
蝶（ちょう）	春の昆虫。紋白蝶や紋黄蝶がいち早く姿を見せる。
鶯（うぐいす）	春を告げる鳥といわれ、美しい声で「ホーホケキョ」と鳴く。
蛤（はまぐり）	二枚貝の代表。貝合せなどに殻を使い平安の昔から日本人に好まれてきた。

夏

季語	その意味
立夏（りっか）	5月5日頃：この日から夏が始まる。
小満（しょうまん）	5月21日頃：草木が茂り万物がさかんに満ちる。
芒種（ぼうしゅ）	6月5日頃：麦を刈り、田植えをする。
夏至（げし）	6月21日頃：北半球で昼間がもっとも長い。
小暑（しょうしょ）	7月7日頃：梅雨が明け、本格的な暑さが始まる頃。
七夕（たなばた）	7月7日の七夕祭のこと。
大暑（たいしょ）	7月23日頃：一年でもっとも暑い頃。
海の日（うみのひ）	七月第三月曜日：海の恩恵に感謝し海洋国日本の繁栄を願う日。
母の日（ははのひ）	五月の第二日曜日。母に感謝する日。
父の日（ちちのひ）	六月の第三日曜日。父に感謝する日。

季語	その意味
薄暑（はくしょ）	初夏のやや汗ばむような暑さ。
新緑（しんりょく）	初夏の頃の若葉のみどり。
梅雨（つゆ）	六月の頃に降りつづく長雨。
更衣（こうい）	季節の変化に応じて衣服を着替えること。
夕立（ゆうだち）	夕方に急に降る大粒の夏の雨。
虹（にじ）	雨あがりの空に七色に見えアーチ状に出る。
紫陽花（あじさい）	額紫陽花を原形として日本原産。七変化（しちへんげ）、四葩（よひら）などともいう。
日葵（ひまわり）	夏に黄色の大きな花を横向きに開く。
蛍（ほたる）	初夏の闇夜に尾を光らせながら飛ぶ。
木下闇（こしたやみ）	木が茂り木蔭の暗いこと。

季語	その意味
立秋（りっしゅう）	八月七日頃：この日から秋が始まる。
処暑（しょしょ）	八月二十三日頃：この頃から暑さが一段落する。
白露（はくろ）	九月七日頃：残暑が引き、草木に露が降りるようになる。
秋分（しゅうぶん）	九月二十三日頃：次第に夜が長くなり秋が深まる。
寒露（かんろ）	十月八日頃：朝晩が冷え込み露が冷たく感じられる。
霜降（そうこう）	十月二十三日頃：北からだんだんと霜が降り始める。
九月九日	（重陽）　菊の節句。
山の日（やまのひ）	八月十一日：山に親しむ機会を得て、山の恩恵に感謝する日。
秋分の日（しゅうぶんのひ）	九月二十三日：祖先を敬い、なくなった人々をしのぶ日。
敬老の日（けいろうのひ）	九月第三月曜日：老人の日。

季語	その意味
体育の日（たいいくのひ）	十月第二月曜日：東京オリンピック大会開会の日より。
文化の日（ぶんかのひ）	十一月三日：自由と平和を愛し、文化をすすめる日。
残暑（ざんしょ）	立秋が過ぎても暑さが厳しいこと。
月（つき）	一年の内で秋が最も美しい。
流星（りゅうせい）	八月中旬の頃の夜空が最も多い。
野分（のわき）	草木を吹き分ける暴風。台風のこと。
紅葉（こうよう）	秋に楓などの木の葉が赤や黄色に色付くこと。
虫（むし）	秋に鳴く虫の総称。
渡り鳥（わたりどり）	秋になると渡って来て冬を越し移動を繰り返す鳥。
秋刀魚（さんま）	九月から十月頃に北から九十九里沖まで南下してくる。

冬

季語	その意味
立冬（りっとう）	十一月七日頃：冬の冷たい風が吹き始める。
小雪（しょうせつ）	十一月二十二日頃：本格的な寒さはまだだが、雪が降り始める。
大雪（たいせつ）	十二月七日頃：山は雪に覆われ、冬が深まる。
冬至（とうじ）	十二月二十二日頃：一年でもっとも夜が長く、昼が短いころ。
勤労感謝の日（きんろうかんしゃのひ）	十一月二十三日：勤労を尊び、生産を祝い国民が互いに感謝し合う日。
天皇誕生日（てんのうたんじょうび）	十二月二十三日：天皇の誕生を祝う休日。
クリスマス	十二月二十五日にキリストの誕生日を祝う聖誕祭。
小春日（こはるび）	まるで春のように暖かな晴れた日。
師走（しわす）	一年の最後の月で師までもが忙しいといわれる。
年忘れ（としわすれ）	忘年会など年末の集まりをいう。

季語	その意味
年用意（としようい）	新年を迎える準備を整えること。
餅搗（もちづき）	お正月用の餅を搗くこと。
年越し蕎麦（としこしそば）	大晦日の夜に食べる蕎麦。
大晦日（おおみそか）	十二月の末日。
山茶花（さざんか）	園芸種が多いが冬に垣根に咲く花は美しい。
水仙（すいせん）	雪中花とも呼ばれ、寒い冬にほかの花が少ない中に咲く。
落葉（おちば）	枯れ果てて落ちている葉をいう。
大根（だいこん）	主に白い根を食べるが葉も食べる。冬が旬な野菜。
蜜柑（みかん）	冬の果物の代表。
水鳥（みずどり）	冬の水上の鳥の総称。

新年

季語	その意味
小寒（しょうかん）	一月五日頃：寒の入りの日。
大寒（だいかん）	一月二十日頃：一年の内で最も寒い時期。
元日（がんじつ）	年の初めの日。
成人の日（せいじんのひ）	一月第二月曜日：成年（満二十歳）に達した男女を祝いはげます日。
去年今年（こぞことし）	一夜明ければ昨日は去年で今日は今年である。
正月（しょうがつ）	一年の最初の月。
初日の出（はつひので）	今年初めての朝の日の出をいう。
七草粥（ななくさがゆ）	一月七日に食べる七草を入れたお粥。
小正月（こしょうがつ）	一月十五日をいう。この日には小豆粥を食べる。
初春（はつはる）	お正月を春として祝うこと。

季語	その意味
二十日正月（はつかしょうがつ）	一月二十日をいう。この日を骨正月ともいい、お節もつきるという。
初詣（はつもうで）	お正月に神社仏閣にお参りすること。
屠蘇（とそ）	元日に飲む薬酒の一種。
喰積（くいつみ）	お正月料理のことで、お節料理ともいう。
お雑煮（おぞうに）	お餅を入れて煮るお正月料理。
初夢（はつゆめ）	お正月の二日に見る今年初めての夢をいう。
初富士（はつふじ）	お正月に仰ぎ見る富士山のこと。
初声（はつこえ）	元日の早暁に初めて聞く鳥の鳴き声。
歯朶（しだ）	裏白ともいう。縁起の良い植物としてお正月飾りに用いる。
福寿草（ふくじゅそう）	正月用の鉢植えなどが多くおめでたい黄金色の花が咲く。

川柳のステップアップのコツ

この章では、川柳のステップアップのコツをわかりやすい例句とともに解説し、川柳とは何かを紹介しています。

俳句 のマークのあるものは、共通するコツ、川柳 のマークのみのものは川柳ならではの上達へのアプローチです。

ステップアップのコツ 21

言葉の使い方

表現にリフレインの技法をうまく使いましょう

俳句　川柳

リフレインは、作者の心情を伝えるときに効果的な技法です。言葉を繰り返すことで読者に勢いを感じさせたり、共感を得られたりすることができます。

例句

改造へ　もしやもしやの　モーニング

仲川たけし（『国会の換気扇』）

本名・仲川幸男。松山市議、愛媛県会議員を経て、参議院議員を二期務めた政治家です。参議院文教委員長ほかの要職も務めました。「もしやもしや」というリフレインは、内閣改造の度に作者の脳裏に去来した願望だったのでしょうか？　川柳歴も六〇年に及ぶ政治家でした。

上達ポイント

1 臨場感とともに詠み手の心情を伝える

「もしやもしや」という表現は誰もが共感でき、その心情が伝わりやすくなります。

2 共感が得られる表現を選択する

共感が得られる表現は、印象深く読者の心に刻まれます。

その他の例句

台所かあさんがいて台所

Kichen Mum's there, Kichen

「上五に台所、下五にも台所。さらにその英訳。川柳もスゴイが、英訳もスゴイ！ ごく簡単な英単語で構成された一句です。」

近藤正和（高校三年生）
『英訳 ジュニア川柳』（撫尾清明訳、アランクロケット監修、大同印刷（株））

いいぞいいぞ大きくなった西之島

「「いいぞいいぞ」という入り方が、いいぞ、いいぞ！ 勢いを感じさせるリフレインですね。」

石田ひろ子
（『川柳塔』平成二九年一月号）

平常心平常心で介護する

「このリフレインは重たいですね。作者を取り巻くシビアな現実を、想起させて余りあります。ともすれば平常心を失いがちな自分に、「平常心、平常心」と繰り返しいい聞かせている、そんな姿が思い浮かびます。」

篠田和子（『ぬかる道』）

ファミレスに来るとファミリーらしくなる

「厳密な意味でのリフレインではありませんが、こういう使い方も面白いですね。「ファミリー」と「ファミレス」（ファミリーレストランの略）という使い方が、です。」

渡辺 梢
（『川柳研究合同句集第八集高点句集』）

ステップアップのコツ 22

言葉の使い方

言葉のセンスを磨きましょう

俳句　川柳

いいたいことがあるのに、うまくいい表わせないそんなもどかしさを感じた経験が、皆さんもおありでしょう。そんなときには自分の気持ちに合った言葉を類語辞典で探すといいでしょう。

例句

箸を置くときに
やがてを考える

五十嵐　修

（『川柳句集　お蔭さまで…』新葉館出版）

鑑賞のポイント

「やがて」という副詞は、こんな風に使うことが出来るのですねぇ。うまいものです。深刻なテーマを含蓄のある単語でいい表わしております。作者はＮＨＫの元アナウンサー。言葉のマジシャンというべき一句かも知れません。

上達ポイント

1 副詞をうまく使いこなす

副詞には他に「まさか」「きっと」「はなはだ」「しばらく」「すぐに」など、用言（動詞、形容詞、形容動詞）を修飾する多くの言葉があります。うまく使いこなせるようにしたいものです。

2 類語辞典を使いこなす

似たような単語でも、音数やニュアンスに微妙な違いがあります。自身の気持ちにぴったりした単語を、類語辞典で探すのです。言葉探しを楽しみましょう。電子辞書も類語機能が付いたものがオススメです。

その他の例句

なにがしか稼ぐおんなの口が過ぎ

「なにがしか」という老練ない回し。「句会の鬼」と呼ばれたベテラン作家の、こうした言葉の使い方にご注目を。

加茂如水
（『加茂如水川柳句集　瀞』）

先客の月が揺れてる露天風呂

露天風呂の句は数多あれども、この句の仕立て方には叶いませんね。揺れていたのは、「先客の月」。何というロマンチックな光景でしょうか。

太田ヒロ子
（『紙鉄砲Ⅱ』新葉館出版）

水虫よ定年まではあと少し

この「よ」が、何とも味わい深いではありませんか。「水虫」との連帯感（笑）さえ感じられます。そんな呼びかけの終助詞の「よ」です。口語では「か」「な（禁止）」「ぞ」「ぜ」「や」など、文語では「か（かな）」「が（がな）」「なむ」「ばや」「よ」など、終助詞をうまく使えるようになることも上達の道です。

長谷川酔月
（『川柳句集　素敵な油断』）

あえて定型を崩す

ときには、あえて破調にしましょう

俳句　川柳

①「字余り」にしたほうが効果的！

「字余り」の原因は二つに大別されます。一つは、作者に原因がある場合。端的にいって、句が下手だから（失礼！）。句語が上手に操れず、語順を変えるなどの推敲力がない場合です。初心者クラスに見られる現象です。

もう一つは、やむを得ず字余りになった場合。もしくは、あえて字余りにした場合。いわば「確信犯」です。詩性派や実力作家に時々見受けられます。

例句

文学の幻を追う自己愛かもしれぬ

篠崎堅太郎（『蘇る野火』）

鑑賞のポイント

文学青年や文学少女なら、この心情は理解できるでしょう。そう、まさしく「文学の幻」を追っていた青年期。作者は、十代で川柳を始め、四九歳で早世した含羞（がんしゅう）の詩人。全くの字余りですが、こういう場合の字余りはあってもいいかな？　と思ってしまいます。

上達ポイント

1 いいたいことはあえていう。破調にしてもいう

いいたいことはあえていう。結果的に破調になることもやむなし、です。

2 思いを伝えるためにあえて破調にする

「その他の例句」で紹介している句のように、語順をかえれば定型に収まる言葉でも、思いを伝えるためにあえて破調にする方法もあります。

その他の例句

思い出のあの山此の川僕のもの

田中八洲志
（川柳作家全集『田中八洲志』新葉館出版）

「関東の川柳界では、字余り、とりわけ中八には非常に厳しいのです。親の仇のように非難されます。作者も「中八忌避論者」の一人なのですが、この句だけは「『あの山、此の川』でないと俺の気持は通じない」といい張って、訂正をしませんでした。」

過去ひとつ突くカラスのぶざまな昼

たむらあきこ
（『たむらあきこ千句』新葉館出版）

「下五を、たとえば「昼ぶざま」にすれば音数的には整います。しかし、それでは作者の吐き捨てたいような思いは表現できません。」

眠れないフクシマがありユキゆき雪

野沢省悟
（『野沢省悟句集』東奥文芸叢書川柳七）

「下六にご注目を。「ユキゆき雪」の字余り。しかも、カタカナ・ひらがな・漢字の三種類の文字で表記されています。「眠れないフクシマ」という導入もまたよし、です。」

ちゃうちゃうちゃう必ず三度あかんあかんあかん

作者不詳
（『紙鉄砲』新葉館出版）

「形式的には「六・七・九」の字余りですが、大阪弁のリズムが伝わってきます。「大阪弁は単語を繰り返すことが多い」という文脈の中で紹介されている句です。」

②「句またがり」でも句の個性が生かせれば効果的！

近年、「句またがり」の作品が増えました（「胴切り」「句渡り」「句またぎ」ともいいます）。「句またがり」が増えた原因は幾つか考えられます。五七五の正調は、とかく説明的になりがちなこと。単純なリズムに飽き足らなくなった。もしくは、現代川柳の対象が複雑化・多様化した、……等々でしょうか。

例句

スロープのゆるさは
やさしさの形

加藤当白

鑑賞のポイント

内容的には次のように切れます。

スロープのゆるさは／やさしさの形
九　八

このように、「句またがり」の多くは二句一章（にくいっしょう）の形を取っています。

上達ポイント

1 いいたいことはあえて破調にしてもいう

二句一章の形を取って、あえていいたいことをいいましょう。

2 耳で味わえる句に仕立てることが大切

仮に五・七・五で切った場合、「スロープの　ゆるさはやさし　さの形」となってしまい、味わいを損ねてしまいます。

平成二九年二月に開催された「第五七回伍健まつり川柳大会（※）」にはビックリさせられました。ナント、高位入賞作品のすべてが「句またがり」になっていたのです。

ご覧いただきましたか。

※注：毎年二月に開催される、前田伍健（まえだごけん）（一八八九〜一九六〇）の名にちなむ愛媛県最大の川柳大会。伍健は愛媛県川柳界の第一人者で、教祖的存在であった。没後、伍健まつりが開催されるようになった。伍健はまた、野球拳の創始者でもある。

その他の例句

〈愛媛県文化協会会長賞〉

一喝の迫力たましいを揺する

片山辰巳

「迫力のある一喝。それは「たましいを揺する」ほど激しいものでした。「一喝の迫力」の後で、この句はいったん切れます。「魂」を漢字で書くと「迫力魂」と続いてしまうので、「たましい」と作者はひらがな書きにしたものと思われます。」

〈伊予鉄道杯〉

膨らんだ疑惑腐ってゆくトマト

兵頭俊子

「「腐ってゆくトマト」は正視するに堪えません。我慢なりません。その「腐ってゆくトマト」と「膨らんだ疑惑」の二者をぶつけました。ぶつけることによって、この二つをオーバーラップさせております。句またがりであり、二物衝撃の典型的作品です。」

その他の例句

〈愛媛新聞社盾〉

こっそりと風に試されたようです　郷田みや

「ささやきのような一句ですね。中七・下五が句またがりです。何だろう？と読者の想像力をかき立ててくれます。どんな趣きの風に、いったい何を試されたのでしょうか？書かれてはおりませんが、これはこれでよいのです。文芸は時として理屈を超えるのです。」

〈国民文化祭愛媛90盾〉

心に喝を入れる滝音冴え返る　大場美千代

「右作品は、二通りの解釈が可能です。

「心に喝を入れる滝音／冴え返る」と読むならば、上五の字余りで喝を入れたのは滝の音。

「心に喝を入れる／滝音冴え返る」と考えれば句またがりの二句一章で、喝を入れるのは滝の音に限定されません。」

作句の技術

「取り合わせ」の技法をうまく使いましょう

俳句　川柳

全く異なる二物を取り合わせることで、イメージをふくらませたり、二物が衝突することで新たなイメージを作りだしたりする効果が期待できます。

鑑賞のポイント

明治四〇年生まれの作者が、人生の哀歓を詠み上げた珠玉の川柳句集の中の一句です。句集『哀歓抄』は昭和五六年に刊行されましたが、二一世紀の今日でも通じる作品ですね。「誤解して結婚／理解して離婚」と、中間切れに読むとこの句は分かりやすいでしょう。

例句

誤解して結婚
理解して離婚

北原晴夫（『哀歓抄』泉書房）

上達ポイント

1 意外性のある取り合わせが強い印象を与える

意外性のある二つの言葉を並べると、そこにインパクトが生まれます。

2 言葉に個性を与えて深い感銘を与える

言葉を対比することで、言葉自体の個性が際立ちます。

その他の例句

エーゴよりちと難しい津軽弁

「作者は青森県在住。英語と引き合いに出したのはナント津軽弁。笑っちゃいました。「エーゴ」なる表記、「ちと」という副詞の選び方もユニークです。」

高瀬霜石

問題は中味おとこもたいやきも

「「おとこ」と「たいやき」の取り合わせがユニークです。中味が大事であることをユーモアで伝えています。」

西出楓楽
（『天秤座』）

年金と一票を持ち老い元気

「「年金」と「一票」の取り合わせ。そうそう、それゆえ拙者にはまだまだ発言権があるのだゾ。」

高橋富榮
（『ぬかる道』平成二九年三月号）

講演へメモ取る人と眠る人

「一見何の変哲もない一句のようですが、川柳味たっぷりです。そう、熱心にメモを取る人ばかりではありません。「眠る人」にも注目したところが川柳の〈眼〉です。」

津田　暹

ステップアップのコツ 25

作句の技術

俳句 川柳

「二物衝撃」の技法をうまく使いましょう

二句一章の取り合わせであり、二物衝撃の典型的な作品でもあります。

この作品には動詞がありません。芬々たる百合の花と、不登校児が在す豪華な応接間。事物A（「百合芬々」）と事物B（「不登校児の応接間」）をぶつけただけ、二物を提示しただけですが、背景にあるドラマが読み取れます。こうした構図をご鑑賞下さい。

鑑賞のポイント

読者は、二者の取り合わせにときに違和感を感じます。その一方で、共感できた人には共感度、共鳴度が高くなる傾向があります。

事物 A ⟷ 事物 B

・異質のもの、異分子との取り合わせ
・相互に反応

例句

百合芬々
不登校児の応接間

（原句：白合芬々 不登校児の応接間）

上達ポイント

1 動詞を無くして衝撃度を高める

動詞が無い分、衝撃度が増します。

2 二物は離れていた方がより効果的

二物は離れていればいるほどドラマを生み出す効果があります。

その他の例句

※これらは二句一章の作品です。原句にはありませんが、分かりやすくするためにスラッシュを入れてみました

ケータイで結ばれ／ケータイで別れ

水井玲子

「現代の恋を二句一章の対句形式で詠んでいます。ケータイで結ばれるような恋は、所詮このような結末になるのだという作者の批判的視線も込められております。時代を切り取った秀句です。」

恋はプロセス／かけひきがおもしろい

日下部敦世
（『川柳作家叢書　日下部敦世』新葉館出版）

「恋を、恋のプロセスを、楽しんでいる作者がいます。いいえ、作者自身ではないかも知れません。恋というもの一般を指しているのかも？　いずれにしろ、結果より経過（プロセス）にドキドキ感があるという指摘は頷けるところでしょう。」

飾りじゃないよ／女もパセリも

川上富湖
（『川柳で乗り切る人生のデコボコ道』はまの書店）

「二句一章の作品。七音と八音の組み合わせです。「女」と「パセリ」という取り合わせも、なかなか鋭い問題提起になっております。」

作句の技術

比喩表現をうまく使いましょう①

俳句　川柳

直喩表現を盛り込む

比喩はステキな技法。しみじみそう思います。人は、心が大きく動いたとき（喜怒哀楽など）、何かに喩えて気持ちをいい表わそうとします。すばらしい恋人が現れたとき、ドン底に突き落とされるような悲しみを覚えたとき、などなど。比喩が的確であれば、相手を動かすことも可能。恋も成就するに違いありません。

例句

ト音記号のように食べてるスパゲティ

丸山芳夫（『豆電球』新葉館出版）

鑑賞のポイント

この比喩の巧みさには驚きました。比喩の中でも、最も直接的でわかりやすいのが「直喩」（明喩）です。直喩は、「君は宝石のように輝いている」のように、比喩であることが明示されます。

したがって、わかりやすいのですが、そのわかりやすさが要注意。ややもすれば、平凡でつまらない直喩になってしまいます。

上達ポイント

1 日常の出来事を詩的に表現する

詩的表現に昇華するためには、「あっ」と思わせ、「ナルホド」と唸らせることが大切です。

2 平凡さや俗っぽい表現にならないように注意する

直喩は使いやすいだけに、ややもすれば、平凡でつまらない表現になってしまうことがあります。注意しましょう。

その他の例句

わが家にもひよこのような孫がふえ

穴澤良子

年賀状に書かれてあった一句。直喩の見本のような一句です。

助演賞下さいそんな夫婦歴

江口信子

「夫唱婦随」という四字熟語が生きていた時代の作品。作者はおしどり川柳家と呼ばれ、ご主人とともに川柳の会を立ち上げました。この句は、妻たる作者の役どころをうまく喩えています。

ひとり住む楽屋のように脱ぎ捨てる

平田朝子
（『素顔の詩ごよみ』熊日出版）

この句は、「ひとり住む」でいったん切って解釈したい作品です。「楽屋のように脱ぎ捨てる」気楽さ、ヤレヤレという一瞬。ほっと出来るのは、世間という舞台から戻って、「ひとり住む」わが家だからなのです。

ステップアップのコツ
27

作句の技術

比喩表現をうまく使いましょう②

俳句　川柳

隠喩

隠喩（暗喩）はすぐれた技法です。直喩と違って、この部分が喩えであると明示はしていません。従って、読者が隠喩を見落としたり、隠喩が作者の独りよがりに陥ったりもすることも少なくありません。今日の川柳が具象だけでなく、心の中までを詩の対象として詠むようになって以来、隠喩や隠喩的表現を多用する作者が増えました。直喩や擬人法と違い、一種の魔力のようなものが隠喩には秘められています。

例句

被災して　無死満塁の　守備につく

木田比呂朗（『大震災を詠む川柳101人それぞれの3・11』川柳宮城野社編）

鑑賞のポイント

作者は実際の被災者（宮城県塩竈市在住）です。ナント三月二日がご本人の誕生日で、翌日はお嬢さんの結婚式が予定されてたそうです。幸いにも皆さん無事で胸を撫で下ろしましたが、「無死満塁の守備」という隠喩はけっして大げさではありません。

上達ポイント

1 少ない文字数で内容にふくらみや奥行きを出す

隠喩を有効に使えるようになると、説明を省くことができ、少ない文字数で内容にふくらみや奥行きが出せます。

2 優れた効果が期待できる「心象表現」として使おう

作者の意図を示す表現として効果的に使えます。

その他の例句

怠慢な蟻からやすらぎをもらう

中島和子
（『川柳句集 和』葉文館出版）

「蟻は比較的よく使われる隠喩です。この作者のユニークさは、勤勉な蟻ではなく、「怠慢な蟻」に注目したところ。その「怠慢な蟻」にやすらぎを貰ったというのです。逆転の発想で、隠喩を活かしました。」

家系図の一番下に足がない

片野晃一
（『ぬかる道』平成二八年一二月号）

「夫婦は二重線で結び、子どもは年長順に右側から並べていきます。ところが少子化の昨今、子の欄が空白のまま。そんな家系図が増えました。作者はそれを「足がない」と表現したのです。」

ゆるされた入り江でお待ちしています

やすみりえ
（『召しませ、川柳』新葉館出版）

「外国の旅番組レポーターなどでも活躍する作者。ナポリ湾の入り江を、なぜか思い浮かべました。波が穏やかで、ちょっと人目につかない入り江。しかも「ゆるされた入り江」。そこで、あなたを「お待ちしています」というメッセージ。やや古風な女性の恋心のイメージです。」

いくさのすんだ乳房がふたつ湯に浮かぶ

川辺昭子
（『川辺昭子川柳句集 しずく』喜怒哀楽書房）

「「どの男ともおんなじことをして別れ」「後朝のうしろ姿はもう他人」「自分史のみんなかわいい男たち」などの代表作で知られる川柳作家です。「いくさのすんだ」の「いくさ」という妖艶な隠喩にはドキドキしますね。」

ステップアップのコツ
28

作句の技術

比喩表現をうまく使いましょう③

俳句　川柳

擬人法の表現を盛り込む

人でないものを人（の動作）に喩える技法が、擬人法。擬人法の「擬」は「なぞらえる」と訓読みします。そのせいでしょうか？擬人法なる技法は人一倍親しみやすさを覚えますね。無生物も人のように擬えるからでしょう。「嵐が俺を呼んでいる」「風が泣いている」「海が叫んでる」……、みんなみんな擬人法です。

例句

わたくしを
見て下さいと
咲くさくら

石戸愛美（小学四年生）
（『オール川柳』平成二一年六月号）

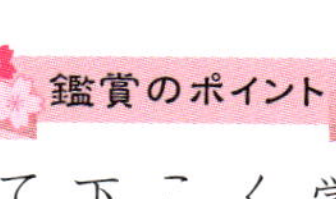

鑑賞のポイント

小学校四年生の作者にして、この擬人法は見事。小学生も高学年になると、技法の意識はなくとも、詩の技法は平気で使いこなします。「わたくしを見て下さい」といわんばかりに咲き誇っている桜。そんな桜の側に立って、作者は花の気持ちを思いきり代弁したのでした。

上達ポイント

1 親しみを持たせるには擬人法は効果的

人（の動作）に喩えることで、読者が親近感を持ちやすくなります。

2 絶妙な表現ができるようになるには日々の鍛錬が大切

無生物を人（の動作）にうまく喩えられるようになるには、物の見方や表現の日々の鍛錬が必要です。

その他の例句

回覧が長旅をする高齢化

「何げない一句。「長旅」という比喩（擬人法）をちょっと使っただけで、作品がぐ～んとグレードアップします。生きてくるのです。そういわれれば昨今、自治会の回覧板は「長旅」をすることが多いようですね。」

笹島一江
（『川柳句集　道づれ』山陽社）

雪は降る電車もバスも眠らせて

「記録的な大雪の日。学校は臨時休校になりました。前夜はこうでした。まさしくこんな夜になりました。しんしんと、ただただ降り積もる雪。静かな静かな夜となりました。電車もバスも眠らせるように。」

笹川真起子（高校三年生）
（『アイらぶ日本語』学事出版）

女子会に誘われたのは財布だけ

「あはははは。お父さん！　お声がかかったと思って喜んでいたようですが、実際の目的は別のところにあったようですネ。「誘われたのは財布」だけだった、という擬人化にご注目ください。」

永井　隆

大盛りにされると嬉しそうな皿

「平成二五年刊行の川柳句集。中学三年生の作者。皿が嬉しいのではありません。これも絶妙な擬人法による表現です。」

倉間しおり（中学三年生）
（『川柳句集 かぐや』新葉館出版）

ステップアップのコツ 29

作句の技術

俳句 川柳

「オノマトペ」をうまく使いましょう

オノマトペは、専門的には「発音体感」と呼びますが、言葉の語感を大切にするのが日本語の表現。オノマトペはそんな体感を活かしております。例えば、ナ行音のオノマトペ（「ねちねち」「にょろにょろ」）は、粘着性を想起させます。こうした音感を活かして、独自のオノマトペの創作も大いに可能なのです。

例句

湯豆腐にハヒフヘホッとする二人

加藤鰹（『川柳句集 かつぶし』新葉館出版）

鑑賞のポイント

何てユニークなオノマトペなんでしょう、この句は。一応オノマトペの項に入れておきましたが、遊びごころたっぷりの作品です。

上達ポイント

1 想像の幅を広げるためにオノマトペを使う

オリジナルもＯＫなオノマトペを使いこなせれば、読者に豊かな想像の世界へ誘うことができます。

2 楽しみながら表現を選択する

オノマトペは、日本語の豊かさの象徴ともいえる言葉で、その数は無数にあるといいます。

その他の例句

酒とろり友も〝らりるれろ〟と痴れる

川上三太郎
(『川上三太郎の川柳と単語抄』新葉館出版)

「これもオノマトペ、なんでしょうね。こんな楽しいオノマトペが詩性派の川上三太郎作品にあったのです。酔って呂律が回らないことを、〝らりるれろ〟と喩えました。日本語のオノマトペは、オリジナルな創作も可能で、楽しいです。」

少女キラキラ男が金をくれたがり

中島和子
(『川柳句集　和』葉文館出版)

「「少女キラキラ」がよい。現代の少女は輝いている。ところがその後に「男が金をくれたがり」と続けられると、アブナイ世界に吸い込まれそう。そのアブナイ世界を、作者はさらっと述べている。そこがまたよい。」

クシャクシャにしてから捨てないでほしい

阪本高士
(『阪本高士川柳句集　第三の男』新葉館出版)

「ふだん、やっていますね。考えが上手くまとまらないときなど。クシャクシャにしてから、ポイッと反故にする。しかしながらこの作者、「得体の知れない、怪しい川柳が好き」と公言しています。となるとこの句は、丸めてポイッの紙くずを、単に詠んだのではなさそう。」

作句の技術

「日本語力」アップ ～「てにをは」を考慮しましょう～

俳句　川柳

文章の中の一字違うだけで全く違う意味になってしまうことの例を挙げるとすれば、それこそ枚挙に暇(いとま)がありません。日本語はそれほどに繊細だといえます。

その微妙なニュアンスを使い分けるのが、日本語の助詞の役割です。「助詞力」を身に付けたいものです。

例句

いのちうれし
ものがおいしく
頂けて

今川乱魚

上達ポイント

1 主語を引き立てるために、格助詞「が」をうまく使う

「ものがおいしく頂けて」という表現をすることにより、作者の健康状態まで読者の関心を喚起させる効果があります。

2 微妙なニュアンスを表わすためにも助詞の使い方に習熟する

助詞の使い方次第で、句意や個々の言葉のニュアンスが全く変わってしまう可能性があることを心得ておきましょう。

鑑賞のポイント

この作品を間違えて引用した方がおられました。「いのちうれしおいしいものが頂けて」と、間違えたのです。この間違え方、日本語力の参考事例になりますね。

両者とも同じ内容を述べているように見えますが、じつは大違い。「おいしいものが頂けて」と、「ものがおいしく頂けて」とでは、天と地ほどの開きがあるのです。作者は、「ものがおいしく頂け」ることに感謝しております。つまり、「ものがおいしく頂ける」状態にまで健康が回復したこと。そのことに対して、いのちの嬉しさ・有り難さを述べているのです。作者の大手術後の一句でした。

その他の例句

しあわせになるためにするお勉強

赤松ますみ（『現代川柳鑑賞事典』三省堂）

「「お勉強」の「お」に注目を。たった一文字をプラスしただけで、句の意味が変わります。勉強は、自身を磨くため、夢の実現のために本来必要なことです。その勉強に作者は「お」を付けました。美化語であるはずのこの「お」には、軽いおふざけと同時に揶揄（からかい）の意味を作者は付け加えたのでしょう。」

几帳面な時計の中へ遅刻する

大城戸紀子

「この「へ」がすばらしい。助詞一つで、こんなにも句が生きてくるということの典型例です。川柳の初心者は、たいてい助詞の「で」や「に」を使いたがりますが、この「へ」を味わって下さい。たくさんの時計、皆さんを待たせた時計の中「へ」という、絶妙の助詞一字です。」

大ジョッキ夏が喉から好きになる

阿部勲（『阿部勲川柳句集』新葉館出版）

「助詞の代表格は「てにをは」。多くは一音なのですが、二音以上の助詞ももちろんあります。掲出句の「喉から」の「から」（格助詞、起点を表わす）の上手なこと。参りました。こんな表現はなかなか出来ません。一読して、喉が鳴り出しそうな秀作です。」

ステップアップのコツ
31

作句の技術

俳句 川柳

推敲のレベルを上げましょう

推敲には、リズムを整える、言葉を吟味する、語順を入れ替えてみる、口語表現を文語表現に、またはその逆など、その句をよりよい句にしていくための幾つかのポイントがあります。

(1) リズムを整える

▽図書館で思索をすれば眠り深し　M・H生

↓図書館の思索眠りも深くなる

面白い発見ですが、下五が字余り。いかにもリズムが悪い。ここはリズムを整えましょう。

▽どこもかもリフォームのいるこの体　F・Y子

↓リフォームがどこもかしこも要る体

気持ちはわかりますが、「どこもかも」という勝手な造語はいけません。「いる」も「要る」に直して。

(2) 言葉を吟味する

▽断捨離が怖い本棚のブリタニカ　S・Y子

↓断捨離が怖い書棚のブリタニカ

流行語の「断捨離」を持ってきましたが、残念ながら中八です。「本棚」を「書棚」に直せば、中八はすぐに解消できます。

▽老いた今食欲だけはおとろえず　T・H子

↓老いてなお食欲だけは衰えず

「老いた今」が、単なる説明になっています。ここは、「老いてなお」と勢い盛んな様子を表わす言葉に直しましょう。「おとろえず」のかな書きも漢字を使って左のように。

（3）語順を入れ替えてみる

→キャンパスで間に合いそうな紅葉狩り

初心者は得てして順序立てて説明をしようとするようです。右は単なる説明。A・B・Cの順序を変えてみます。

▽後れぬよう　スマホを持つが　嫁頼み　G・K子

→後れぬよう持ったスマホは嫁頼み

これも、Bの部分が説明的になってしまいました。スマホに焦点を当てると、作品が驚くほど生きてきます。

（4）その他

▽利息ない　元金だけを　喰べている　O・A生

→利息なし元金だけを喰べている

ここは、文語の力を借りましょう。

▽手術でね　三途の川を　泳がされ　H・M生

→手術中三途の川を泳がされ

「でね」が、いかにもゆるい。足りない二字を埋めただけになっています。

コラム：詩文創作のための辞書

「辞書は語の意味を調べるためにある」、そう考えている人がまだまだ多いようです。しかしながら、現代の辞書は長足の進歩を遂げており、詩文を創る人のための辞書、創作に役立つ辞書が世に出てきております。例えば、『ベネッセ　表現読解国語辞典』（benesse）、『日本語　語感の辞典』（岩波書店、「医師」と「医者」の語感の違いなど）。『てにをは辞典』（三省堂）、『川柳五七語辞典』（同）、『日本語コロケーション辞典』（研究社）等々も。こういった辞書類も、ぜひご活用下さい。

作句の技術

名句を鑑賞することも大切

俳句　川柳

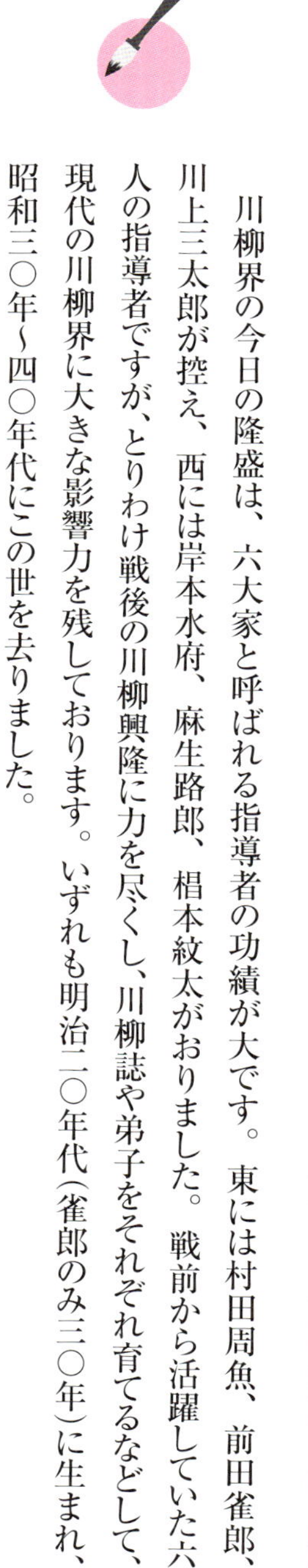

川柳界の今日の隆盛は、六大家と呼ばれる指導者の功績が大です。東には村田周魚、前田雀郎、川上三太郎が控え、西には岸本水府、麻生路郎、椙本紋太がおりました。戦前から活躍していた六人の指導者ですが、とりわけ戦後の川柳興隆に力を尽くし、川柳誌や弟子をそれぞれ育てるなどして、現代の川柳界に大きな影響力を残しております。いずれも明治二〇年代（雀郎のみ三〇年）に生まれ、昭和三〇年～四〇年代にこの世を去りました。

勉強をしろと子に吹く秋の風

村田周魚

現代でも充分通じる作品です。夏の間遊びほうけていた子どもに対して、親が抱く願いであり、自然な感情でもありましょう。川柳きやり吟社を昭和九年に興した村田周魚の、「人間描写の詩として現実的な生活感情を重んじる」姿勢がこの作品にも貫かれております。

一生を一間足りない家に住み

前田雀郎

六大家のうちで、一番学究肌だったといわれる前田雀郎の代表作。これまた現代にも通じる心情を詠んでおります。「もう一間あったらよかったのに……」とか、「もう一間造っておくんだったなぁ」という感慨は、引っ越しや新築を経験するたびに誰しもが感じたことなのですね。

河童起ちあがると青い雫する

川上三太郎

「二刀流」と呼ばれた川上三太郎。詩性と伝統の双方にわたってすぐれた作品を残した作者の、いうなれば詩性派代表作品がこれです。河童という架空動物の、深夜に起ち上がる様子、その全身から零(こぼ)れた雫(しずく)はきっと青い色をしているであろうというイメージ作品。当時の青年を惹きつけた一句でもありました。

母親へ土産は安いものがよし

岸本水府

「川柳は文学である」と主張した岸本水府。と同時に、「よくわかる川柳」「人間性豊かな川柳」を心がけた水府でもありました。母親というのはこういう性分なんでしょう。自分のために高価な土産を買って帰ると、喜ぶよりも子どもフトコロ事情を案じてしまう、そんな存在なんですね。抒情味溢れる作品です。

寒うおまんなアと藝者も年をとり

麻生路郎

「寒うおまんなア」がいい。年をとった芸者の所作を眺めている視線に、あたたかみが感じられます。作者・麻生路郎は、職を変えること六〇弱、家族の犠牲を顧みず、金にならぬ川柳にのめり込む一方で、川柳人初の「職業川柳人」宣言をしました。「いのちある句を創れ」と叫んだ作者の、こんな一句にも注目したいものです。

弱い子に弱いと言わぬことにする

椙元紋太

「弱い」の繰り返しが効いています。終戦直後の作品。同時期の作品に「湯槽での父よくこたえよく教え」があります。「川柳は人間である」を生涯の信条とした椙本紋太。「生涯川柳を愛すると云って憚らなかった父とともに、家族もまたそれを何の不思議もなく受け入れ、川柳とともに暮してきました」と、三女せつさんが振り返っておられます。

作句の技術

上達するために句会に参加しましょう

俳句　川柳

～ステップアップのための句会活用法～

川柳の句会は、結果がその場でわかります。入選かボツか、自分の句の良し悪しが、投句後約1時間程度で判明します。

筆者は、句会の醍醐味を次のように整理しています。

◆句会の醍醐味◆

◇一堂に会する（＝時間と空間を共有する）
◇一つの課題に対して、
　発見力を競う
　表現力を競う
◇すぐれた作品は、他者の共感（笑い、拍手、頷き、その他の反応）を呼ぶ。
◇選者も勉強。「佳句を抜く喜び、佳句を逸する悔い」を胸にして。

川柳を始めたら、句会に参加しましょう。句会に参加しないなんて、モッタイナイ。

「句会は道場」です。

自分の句が通用するかどうか、句のレベルがどの程度のものなのか、その力試しをするのが川柳の句会です。よく「もう少し上手になってから……」という方がおられますが、「もう少し上手に」なるためにこそ句会があるのだとお考え下さい。

句会は、だいたい次のように進行します。

① 川柳の愛好家が公民館などの会場に集まります。

② 受付で、句会費（一〇〇〇円ぐらい）を支払います。

③ 受付では短冊形の句箋を貰い、空いている席に自由に座ることが出来ます。

句箋を句箋箱に入れる（大会会場にて）

④課題（宿題のこと、兼題ともいう）は、あらかじめ示されていることが多く、自作を句箋に書いて句箋箱に入れます。その際、鉛筆書き（濃いめのものがよい）で、無記名、裏返しにして入れるのが普通です。

⑤〆切時間は厳守します。

⑥選者には、会の主宰者やベテランの方が選ばれます。

⑦選者による入選句の発表を、披講と呼んでいます。

⑧句が読み上げられたら、作者は自分の名前（雅号）を大きな声でいいましょう。記録係に聞こえるように、呼名をするのです。

披講する選者（右）と文台係（左二人）

⑨選者の隣には記録係（文台、脇取りともいう）がいて、作者の名前を復唱します。

⑩句会後の行動はモチロン自由ですが、大概は仲間と連れだって反省会と称する飲み会に行ったり、お茶を飲んだりします。これがまた楽しみの一つでもあるのです。

句会は月一回程度、決まった日時に開催されます。アナタの住まいのお近くにも、句会がきっとあるはずですよ。

（全日本川柳協会のHPアドレス）
http://www.nissenkyou.or.jp/

披講に耳を傾ける参加者

ステップアップのコツ
34

作句の技術

川柳

下五で決めましょう

例句

十八歳 君はりんごが 剝(む)けますか

播本充子

よい句を作るコツの一つに「下五で決める」という技があります。これはいうまでもなく、川柳の五・七・五の最後の五文字に決めの終わり方に工夫を凝らすことをいいます。

十八歳選挙権が実現しました。その十八歳に自立度を問うているかのような一句。「君はりんごが剝けますか」の「剝けますか」という問いかけ。そんな下五の終わり方が、読者にまっすぐ突き刺さります。

上達ポイント

1 読者にまっすぐにメッセージを伝えるには、下五に疑問形が効果的

句の最後を「〜しますか?」「〜ですか?」などの疑問形で締めくくるようにすると、よりメッセージが伝わりやすくなるでしょう。

2 下五に、句意にあった最適な言葉を選択する

句が印象深いものになるかどうかは、作者の言葉の選択次第です。句自体が引き立つような言葉が選択できるように、言葉への感性を磨いておきましょう。

その他の例句

カップ麺それじゃ精子が育つまい

小野寺かおる

「下五「育つまい」の「まい」（「……はずがない」の意）が効いています。」

（岩井三窓『紙鉄砲』新葉館出版）

お婆ちゃんと呼んでいますよ貴女です

下村寿子

「自分のこと？　まさか。そんな気持ちにさせる「貴女です」。」

（岩井三窓『紙鉄砲』新葉館出版）

その他の例句

適齢期それは私の勝手でしょ

新井千恵子
（『川柳研究』平成二七年八月号）

「勝手でしょ」が心情を見事に表現しています。

熱血教師のまま還暦となりにけり

あえて古文調にした下五の「なりにけり」。そこがかえって面白さを醸し出しています。

作句の技術

止め方アラカルト

川柳

例句

見舞いには日本銀行券がよし

今川乱魚（今川乱魚著『乱魚川柳句文集』嵜書房）

川柳は韻文の一種です。したがって、散文のような叙述の仕方は一考を要します。

散文の例：「○○（どこどこ）で□□（ナニナニ）をして△△（こう）なった」。こういう句は川柳界では「説明句」「報告句」と呼ばれ、あまり評価されません。

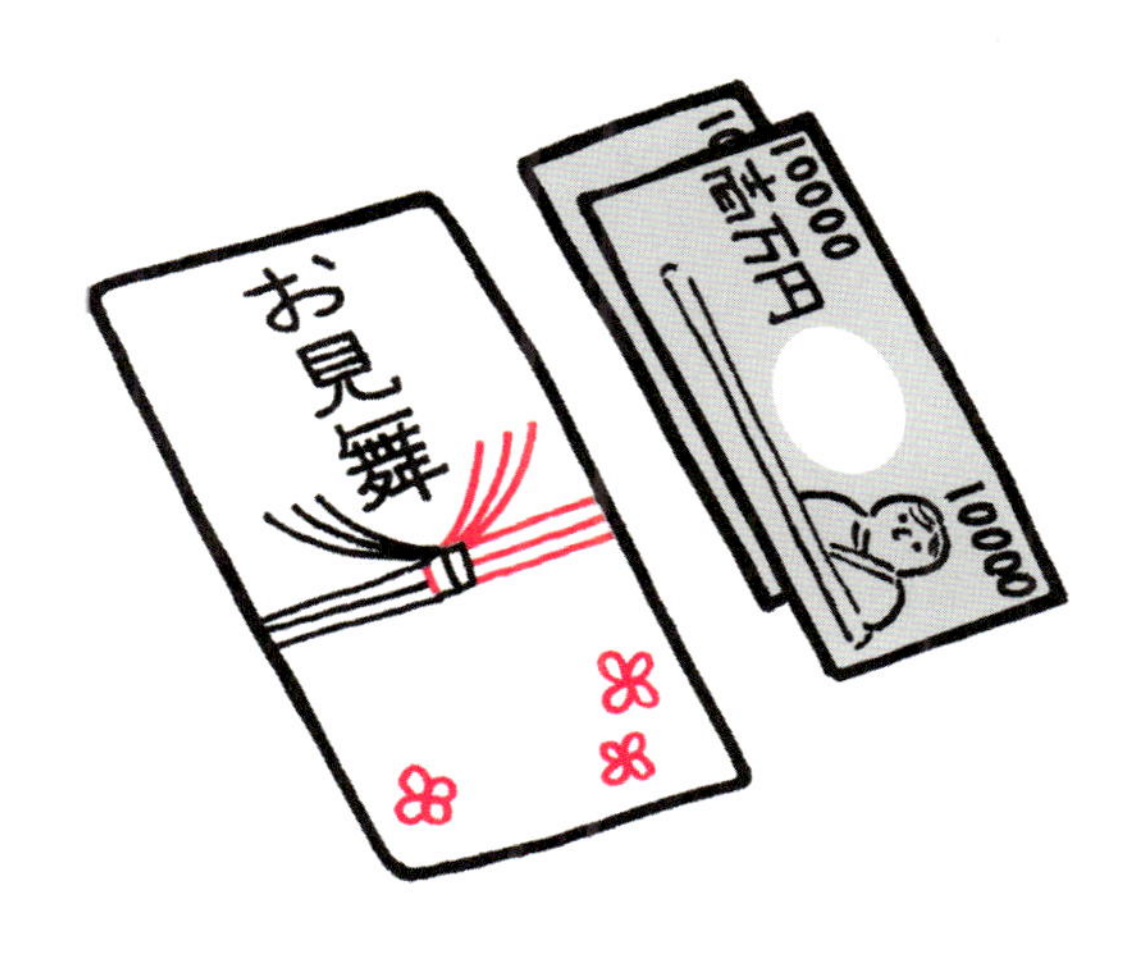

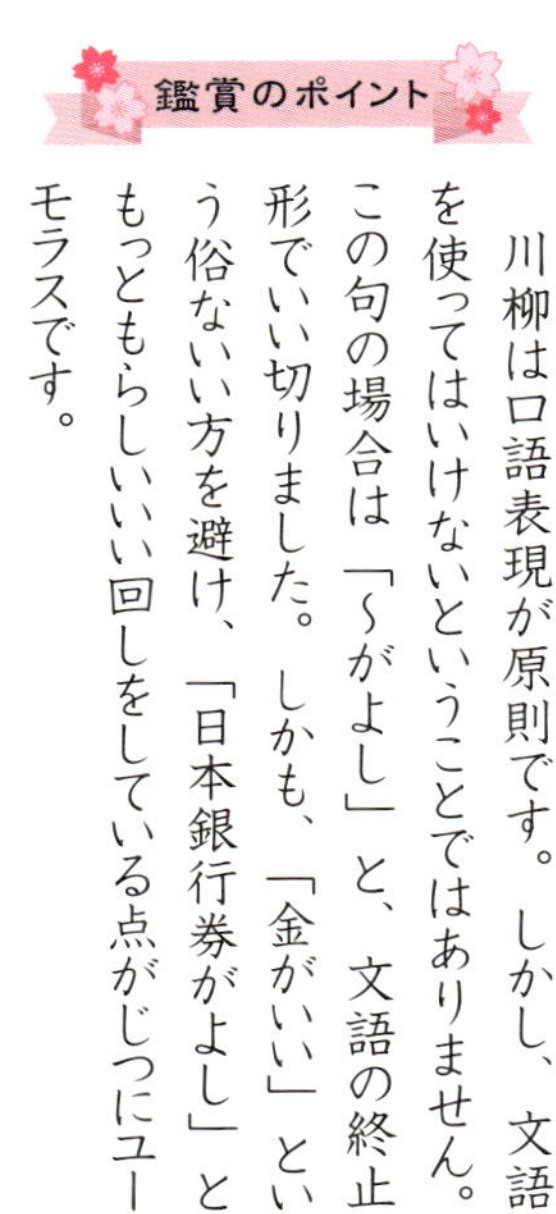

鑑賞のポイント

川柳は口語表現が原則です。しかし、文語を使ってはいけないということではありません。この句の場合は「〜がよし」と、文語の終止形でいい切りました。しかも、「金がいい」という俗ないい方を避け、「日本銀行券がよし」ともっともらしいいい回しをしている点がじつにユーモラスです。

上達ポイント

1 文語の終止形もときには効果的

文語の終止形とは、他に末尾に「あり」「らむ」「らし」「べし」などの助動詞で終わる形態です。俗ないい方を避けることができます。

2 止め方の技をいろいろマスターする

止め方の技には、文語の終止形の他に名詞で終わる体言止めや強調の副助詞「よ」、並立を示す副助詞「も」など、その句意に合った終わり方を工夫しましょう。

その他の例句

平穏な日を予約する炊飯器

加藤ゆみ子

平穏な日常の有り難さ。こういうときの体言止めは、落ちつきが感じられてぴったりです。

逃げることも生きるためには必要ぞ

淡路獏眠
（『鬱川柳』新葉館出版）

「生きることの方が大事だ！」と強調するため、「ぞ」という強めの終助詞で締めくくっています。

その他の例句

言うことのない御主人で少し飽き

織田正吉

（織田正吉著『虹色の包帯』葉文館出版）

「言うことのない御主人」と切り出して、「少し飽き」と来ました。連用形の軽いタッチの止め方です。

友達を失いながら出世する

平野さちを

（『あかさたな　平野さちを川柳句集』新葉館出版）

ズバリいい切った終止形止め。かつて、出世街道とはこのようなものでした。

作句の技術

表記を工夫しましょう（1）

川柳

例句

みどり児も
けものも眠らせる
ちぶさ

窪田和子

世界の言語の中で一番豊かな表記を持つのが日本語。漢字・カタカナ・ひらがなはモチロン、算用数字、記号、アルファベットその他、じつに多彩です。

この多彩な文字表記を活かさないテはありませんゾ。例えば、「女」「おんな」「オンナ」。いずれも違う女性像を思い起こさせませんか。

「乳房」がひらがな表記になっています。単なる乳房ではなさそうです。そう、嬰児(えいじ)も獣も眠らせてしまう「ちぶさ」です。善悪や道徳を越えた「おんな」の業すら感じさせる一句に仕上がりました。

上達ポイント

1 言葉の印象を変えるには表記を工夫する

日本語の場合、言葉は基本的に漢字・カタカナ・ひらがなで表わすことができます。それぞれの表記の印象を作句に利用しましょう。

2 表記には英語もOK

川柳の表記には制約がありません。ときには英語表現もOKです。

その他の例句

フクシマと違う福島うつくしま

真弓明子

（『番傘』平成二四年四月号）

「作者は福島県いわき市在住。カタカナ書きの「フクシマ」は、原発禍を表わしています。」

チチキトクミナユルスカラスグカエレ

谷　笙子

「その昔、電文はカタカナ書きでした。この電文の向こうにはドラマが透けて見えます。」

その他の例句

WELCOME TO TOKYO 成田着麻薬

岸本吟一

「恐ろしいほど鋭い一句。川柳は、英文のフレーズをそのまま取り込むことも出来てしまうのです。」

恐山（おそれざん） 石石石石（いしいしいしいし） 死死死（ししし）

川上三太郎

「川上三太郎の名句。霊場「恐山」だから、でしょうか。全部漢字の表記になっています。メッセージが強烈に伝わってきます。」

作句の技術

表記を工夫しましょう〔2〕

川柳

例句

にこやかに
イマニミテロと
おじぎする

加藤　鰹（『加藤鰹川柳句集 かつぶし』新葉館出版）

皆さんは「オバケノキュウタロウ」って、正しく書けますか？　「お化けのQ太郎」？、「おバケのQタロー」？　いいえ、正しくは「オバケのQ太郎」です。「オバケ」がカタカナ、「の」がひらがな、「Q」がアルファベットで、「太郎」が漢字。スゴイでしょう。こんなに豊かな言語表記は、日本語しかありません。

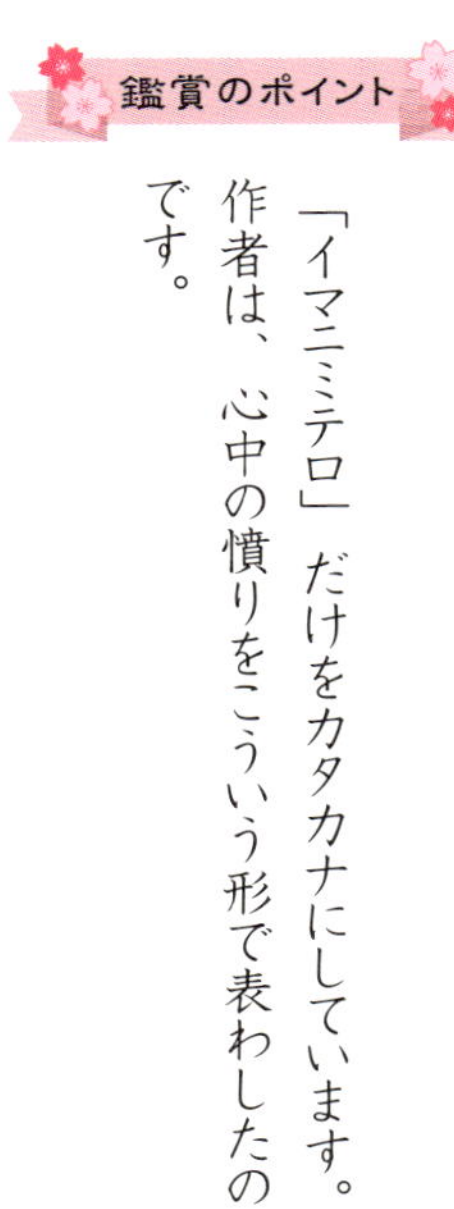

鑑賞のポイント

「イマニミテロ」だけをカタカナにしています。作者は、心中の憤りをこういう形で表わしたのです。

上達ポイント

1 カタカナにして心情を強調する

口語表現をカタカナ表記にすると、普通ではない何かを読者に感じさせます。

2 逆にひらがなにして違和感を演出する

例句にもあるように、外来語や英語表現は、通常カタカナで表記されますが、逆にひらがな表記によって世代の違いなどの違和感を演出するのも技の一つです。

その他の例句

日本酒は今や世界のｓａｋｅとなる

岡本　昌代
（『ぬかる道』）

「川柳の表記はホント、自由ですよね。日本語の豊かさを存分に生かすことができます。「酒」が国際化して、今や「ｓａｋｅ」。諸外国にも輸出をされて大人気のようです。」

おおびらにあいらぶゆうの世となりぬ

村田周魚
（『村田周魚句集』）

「戦後の変化、とりわけ街中の男女の様子は一変しました。「あいらぶゆう」というひらがな書きに、明治生まれの作者の舌打ちが聞こえてきそうです。あえてひらがなで表記した効果が出ています。」

その他の例句

くちびるをかさねかさならないなにか

倉富洋子

（『倉富洋子句集　薔薇』編集工房円）

「こちらは全文ひらがな。感受性の鋭い作者の、それでいてどこかもどかしい思いが伝わってきます。」

贅沢は敵と今でも思ってゐる

廖　運藩

（『近くて近い台湾と日本』）

「作者は台湾人。日本語世代の代表的川柳人です。「思ってゐる」という仮名遣いが効いています。」

作句の技術

口語表現の妙を生かしましょう

川柳

例句

スーパーで
あらセンセイと
呼ばないで

橋倉久美子（『川柳句集 だから素顔で』葦工房）

演歌の話で恐縮。例えば「銀座の恋の物語」。歌詞の中に「♪泣きたくなるのさ、この俺も」、「♪貴男のためなら、何もかも」てな具合に、「オレ」というのは男性、「アナタ」と呼びかけるのは普通は女性。台詞で話し手がわかるのが日本語です。こうした日本語の特長を、川柳でも活かしたいものです。

これぞ川柳！　口語表現の強みを存分に生かしています。カギ括弧を付けるならば、「あらセンセイ」の部分でしょうが、川柳では一般的に印し物は使いません。使わなくても分かる場合は使わない方が、シンプルでいいのです。

上達ポイント

1 口語表現を生かして臨場感を出す

読者は、「あらセンセイ！」とスーパーの中でいわれるシーンを容易に思い浮かべることができます。

2 作者の気持ちをストレートに表現するため、口語表現中にあえてカタカナを使う

「先生」や「せんせい」ではなく、あえて「センセイ」と表記することで、恥ずかしいと思う作者の心情がストレートに読者に伝わりやすくなります。

その他の例句

担がれて足の裏まで見せちまう

「作者は女性です。「見せちまう」と来ましたね。小粋な女性を想起させます。」

米山明日歌

「話って何」風上に立つ女

「印もの（「　」）をあえて使った句です。女性の台詞をそのまま句の前半に据えています。後半は「風上に立つ女」でした。」

中沢久仁夫
（川柳作家全集新葉館出版）

その他の例句

コンビニ様様(さまさま)結婚なんてするもんか

「進む少子高齢化。結婚しない若者（さらに中年へ）が増えました。コンビニさえあれば、怖いものなんてありません。まさに「コンビニ様様」という訳です。」

吉田恵子
（『ぬかる道』平成二八年一二月号）

3ちゃいの強烈パンチ無敵でちゅ

「こちらは口語も口語。幼児語を真似する形で、川柳に仕立てています。茶目っ気たっぷりの、楽しい作品となりました。」

寺井　一也
（NHKラジオFM千葉放送）

作句の技術

誇張もウソも大切

川柳

例句

非国民になりそう
英語できなくて

尾根沢利男（東京番傘・平成二五年七月号）

文学は何を追求するか？　ウソのようなホント、本当のようなウソに迫る。古来これが文学の本質だといわれております。すなわち、日常の中から典型的な事実をクローズアップする、人間のある一面をトリミングする、等々。

誇張やフィクションがあってもちっとも不思議ではないのです。

鑑賞のポイント

世は英語ブーム。猫も杓子も英語、英語、英語。日本語がままならない幼子にも、早くから英語を教え込まないとイケナイといわんばかりの風潮に、作者は異を唱えております。その異論の提出の仕方が、「非国民になりそう」でした。

大時代的で大袈裟ですが、川柳はそれでよいのです。

上達ポイント

1 あえて大袈裟に表現するのもあり

句意を引き立たせるためには、あえて大袈裟に表現してみるのもありです。

2 逆説の妙味を生かす

日本語を使う日本国民として、英語ができないことが非国民になりそうだという逆説的な内容にインパクトを感じさせます。

その他の例句

中国の飛び地になったアキハバラ

（『あかさたな　平野さちを川柳句集』新葉館出版）

平野さちを

「飛び地になった」という喩えが、ベテラン川柳作家らしい断定です。ひょっとして「アキハバラ」以外にもあったりして。

わたしからあなたを引けばゼロになる

田口波津子

このいい切りがすべて！　男として、一度でよいからいわれてみたいこの台詞が読者の心に深い印象を与えます。

その他の例句

生めるなら生んであげたい国のため

山田とまと
（『ぬかる道』平成二八年一二月号）

「宿題「少子化」の入選句。少子化の問題は憂い深く、かといって女性の人権問題も微妙に絡んでおります。作者はシニアの女性です。「生めるなら（ワタシが）生んであげたい」と、あっけらかんと川柳作家らしいユーモアでこの問題に切り込んだのでした。」

大概の体験談は役立たぬ

淡路獏眠
（『鬱川柳』新葉館出版）

「アナタの気持ちはよ〜くわかる」などと、自分の体験を長々と語ってくれました。「役立たぬ」の「ぬ」。打消の文語助動詞「ず」の連体止めで、ズバリ。」

作句の技術

句語の発見が大切

川柳

例句

メイドインワタシ
笑顔も泣き顔も

真島久美子（『港』平成二一年七月号）

川柳が上手になるために必要なもの、三つ。名づけて「川柳、三種の神器」。一つ目は辞書。二つ目がノート。大学ノートよりも、どこでもメモが可能な小ぶりのもの、手帳大のノートがおススメです。そして、三つ目。最後に残るのが好奇心。好奇心さえあれば、句語の発見は容易です。きっと面白いものに気がつくことでしょう。

「メイドインワタシ」とは、なかなか面白い。モチロン、作者オリジナルの句語。新鮮で、ユニークない回しになりました。きらりと輝く、こういう句語を見つけるのが作句の楽しみであり、同時に創作の苦しみともいえますね。

上達ポイント

1 オリジナルな句語を発見する

オリジナル句語を発見するため、日々、あらゆる事象にアンテナを張っておきたいものです。

2 句語でユニークさを出す

せっかく発見した句語が引き立つように、ユニークな作句を心がけましょう。

その他の例句

なんちゃって俳人になる旅の空

「なんちゃって俳人」という句語がスバラシイ！　「なんちゃって」は、「本心・ホンモノではない」という女子高生の流行語です。

羽島市・おとぁ
（第八回「旅の日」川柳大賞）

仮設小屋出たら笑える窓にする

「笑える家にする」では平凡なのです。「窓」にしたところが作者のお手柄でした。

時枝利幸
（『川柳研究』平成二八年八月号）

その他の例句

中年の粘度がうざいご忠告

「中年の粘度」がスゴイ発見。スゴ過ぎ？「ウザイ」という現代の言葉とのマッチングが最高です。

土田今日子
（『川柳研究合同句集第八集・高点句集』新葉館出版）

わが妻のことでありしか令夫人

「令夫人」？　ハテいったい誰のこと？　と開けてみた封筒。なぁんだ、選挙の依頼か。

大木俊秀
（『満天　大木俊秀川柳句集』武蔵野文學舎）

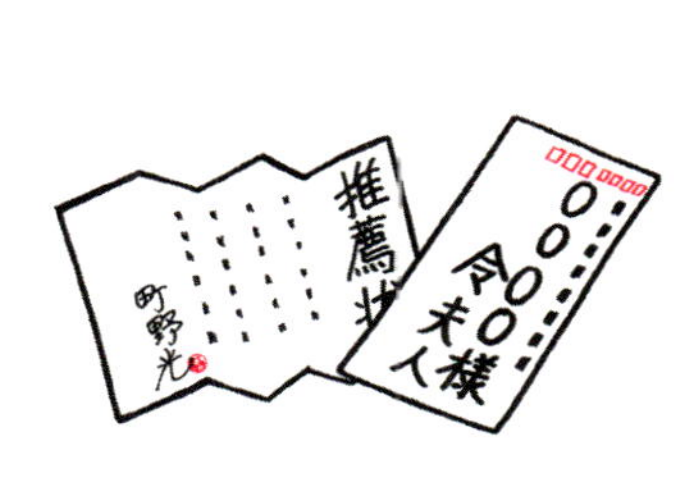

作句の技術

川柳

一字アケの魔力を知りましょう

例句

ひと色が足りず　恋には届かない

（原句：ひと色が足りず　恋には届かない）

やすみりえ（『召しませ、川柳』新葉館出版）

一字アケの作品というのは、川柳の世界では革新派・詩性派と呼ばれる川柳作家が用いた手法でした。個性の強い作品や、内的葛藤をえぐり出す作品に、かつては多く見られました。その他の例句にある「父さんも家族」の掲出句は、半角アケにしてあります。パソコンが普及した現在、全角一字アケではなく、半角アケくらいでキレを示すのも悪くはなかろうと、筆者が以前から用いて重宝しております。半角アケ、そんな試みも如何でしょうか。

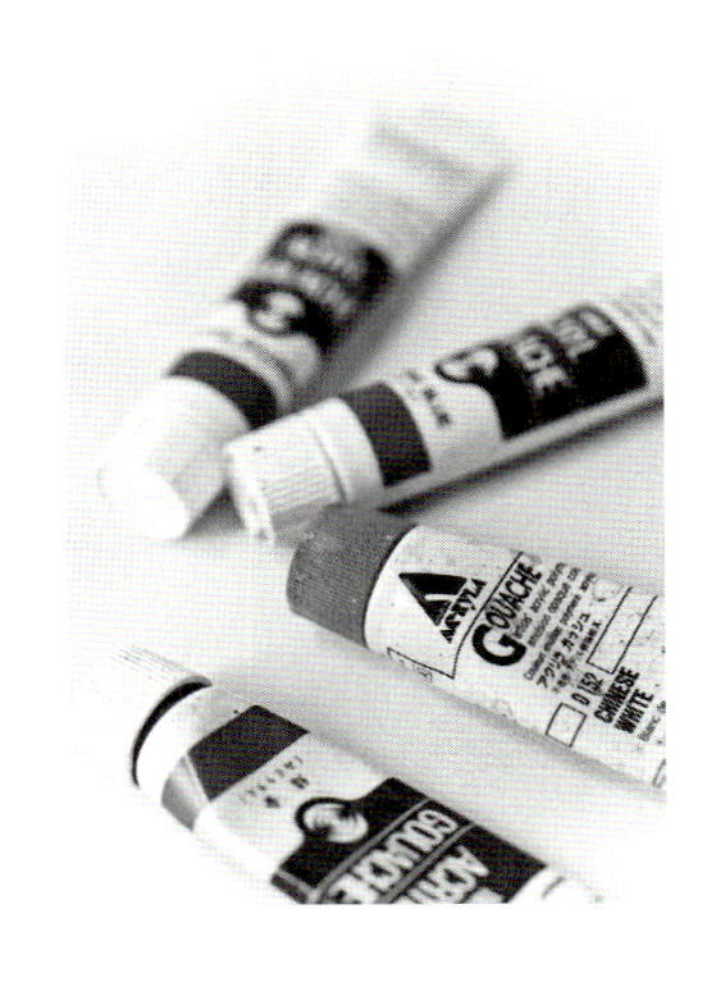

鑑賞のポイント

一字アケは、こういうふうに使いたいもの。「何か足りない」、いうなれば「ひと色が足り」ない。そこで一呼吸置いて、だから「恋には届かない」という訳なのです。

上達ポイント

1 内的葛藤をえぐり出す句を創作する際は「一字アケ」の手法もあり

川柳の世界では革新派・詩性派と呼ばれる川柳作家が用いた手法で、かつては多く見られました。

2 半角アケの手法もあり

全角一字アケではなく、半角アケくらいでキレを示すのも有効な手法です。

その他の例句

五十歳でした　つづいて天気予報

杉野草平
（『現代川柳鑑賞事典』三省堂）

「一字アケの名句として広く知られている作品。訃報のニュースをお知らせした後、キャスターの言葉をそのまま。」

炎の中で巡り逢えたのです　やっと

宮村典子
（『川柳作家事典　宮村典子』新葉館出版）

「散文ならば、「炎の中で、やっと巡り逢えたのです」という語順になります。一字アケして、「やっと」が来ているところにご注目ください。」

その他の例句

死者五人　出稼ぎ村のひとつの苗字

高田宿生木
（『現代川柳鑑賞事典』三省堂）

「たしかにこういう時代がありました。貧しく厳しく哀しい現実を、二句一章のフレーズで叙述しています。」

父さんも家族　冷蔵庫を開ける

江畑哲男
（『川柳句文集　ぐりんてぃー』教育出版）

「とかく、家族から遊離しがちなお父さん。その「父さんも家族」の一員であるかのように、冷蔵庫を開けました。そんな心情を一字アケで表現しました。」

ステップアップのコツ 42

作句の技術

川柳

数字や記号等を有効活用しましょう

例句

M↓L↓LL　わたしの半世紀

（原句：M↓L↓LL　わたしの半世紀）

髙瀬霜石

川柳は一行詩。「五・七・五」という各句の間を空けたりはしません。一字アケも普通はしません。句読点やカギ括弧、「？」「！」などの印物を使わないでいい表わすのが、基本です。しかしながら、昨今印物を付けた作品も見かけるようになりました。便利ですが、頼り過ぎるのは安易。語彙を豊かにして、表現の工夫を第一に考えていきましょう。

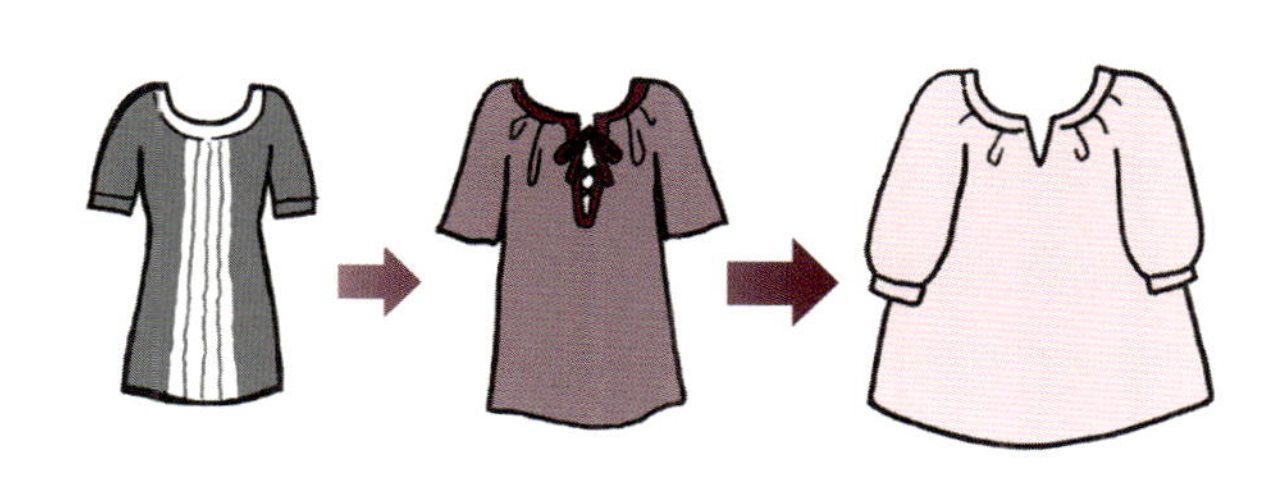

鑑賞のポイント

いやはや、思いきった表記の一句。このような表記も（時と場合によりますが）川柳では許されます。内容も面白い。ユーモアたっぷりの仕立て方になっています。

上達ポイント

1 句の仕立て方によっては、思いきって記号や印物を入れる

時と場合によりますが、川柳では許されます。

2 数字や記号等には決して頼り過ぎず、語彙を豊かにして、表現の工夫を第一に考える

便利だからといって無意味な乱用はよくありません。表現の工夫が第一です。

その他の例句

△を付けて返事を待っている

「○でもない、×でもない。△という記号を用いて心境を表わした冒険句です。」

吉道あかね
（『すぷりんぐ』新葉館出版）

嘘つき！と言った女の厚化粧

「感嘆符（！）がないと、どうでしょうか？ この場合は、付けた方が正解だと思われます。」

柴垣　一（にのまえ）
（『川柳研究合同句集第八集・高点句集』）

その他の例句

あのうスマホ、していませんが電車乗る

岡村水無月

「電車に乗り込もうとした作者。乗客はみな一様にスマホを手にしておりました。そんな車内に、スマホを持たぬ自分がひとり乗車をしようとしているのです。「あのうスマホ、」に、作者のおずおず感が伝わってきます。」

高校は何かがあると思ってた…

徳島・徳島商業高校　森東　椋
（『青春川柳作品集　平成二四・四国大学』）

「「…」にご注目を。高校入学前の期待と、入学後の…。揺れる高校生の心理を「…」で表わしているようです。」

ステップアップのコツ 43

作句の技術

川柳

ユーモア全開でいきましょう

例句

お年玉　老後のために　貯めておく

宮内威人（小学五年生）

非常に大切な要素なのに、逆に一番難しいのがユーモアでしょう。

新婚さんの番組などで司会を務める桂文枝師匠はこう断言しております。「結局は人間の面白さ」、「素人さんほど面白いものはありません」と。

ナルホド。作為的な笑いではない、巧まぬユーモアが素人からは滲み出るのかも知れませんね。

お年玉を貯める。しかも老後のために？？ いったい作者は何歳でしょうか？ そう思ってよく見たら、ナント小学校の五年生！ でした。何としっかり者の小学生なのでしょう。

上達ポイント

1 ユーモアのセンスを磨く

作為的な「おかしみ」ではなく、句から自然と滲み出るおかしみのある句を仕立てるためには、日ごろから表現のセンスを磨いていくことが大切です。

2 「心をくすぐる笑い」ネタを集める

ユーモアは「爆笑」ではなく「心をくすぐる笑い」といえます。そのネタは世に溢れています。絶えず物事に関心を持ってネタを探し集めましょう。

その他の例句

ゲンコツが一番効いた育児法

「モチロン皮肉。育児法・しつけ方・教育理論、さまざま勉強させられましたが、やはりコレが一番！　ということのようで、……。」

斉藤克美

引力にまだ逆らっているバスト

「頑張っています。私もバストも。「引力に」という理系的な切り出し方が、おかしいですね。」

橋倉久美子

（『川柳句集　だから素顔で』葦工房）

その他の例句

おばさんはもうくすくすと笑えない

松本晴美
（『999土浦』平成二六年五月号）

「そうなのですか。笑い方もお嬢さんの時代とは違うのですね。ほのかにユーモアを漂わせています。」

身の回りみんなカップル四面楚歌

徳島・小松島高校　板東和希
（『青春川柳作品集　平成二四・四国大学』）

「この四字熟語は使い方が変！　間違ってます！　でも、作者の心情をユーモアを交えてうまく表現しているので、あえてそこはよしとしましょう。」

作句の技術

あっと驚く「うがち」

川柳

例句

ウイルスのような
ラ抜き語カタカナ語

李 琢玉（『近くて近い台湾と日本』新葉館出版）

「うがち」とは、動詞「穿つ」の名詞形。「穿つ」とは、一般的には穴をあけること。転じて、隠れた事実や気がつきにくい事情を指摘したり、世態・風俗・人情・人間的真実などをえぐり出したりすることを指します。古川柳（初代川柳が選をした『誹風柳多留（はいふうやなぎだる）』二四篇までをこう呼ぶことが多い）の文芸的特性は三点指摘されておりますが、そのうちの一つが「うがち」です。残りの二つ＝「おかしみ」「軽み」と併せて、（古）川柳の「三要素」と位置づけられています。

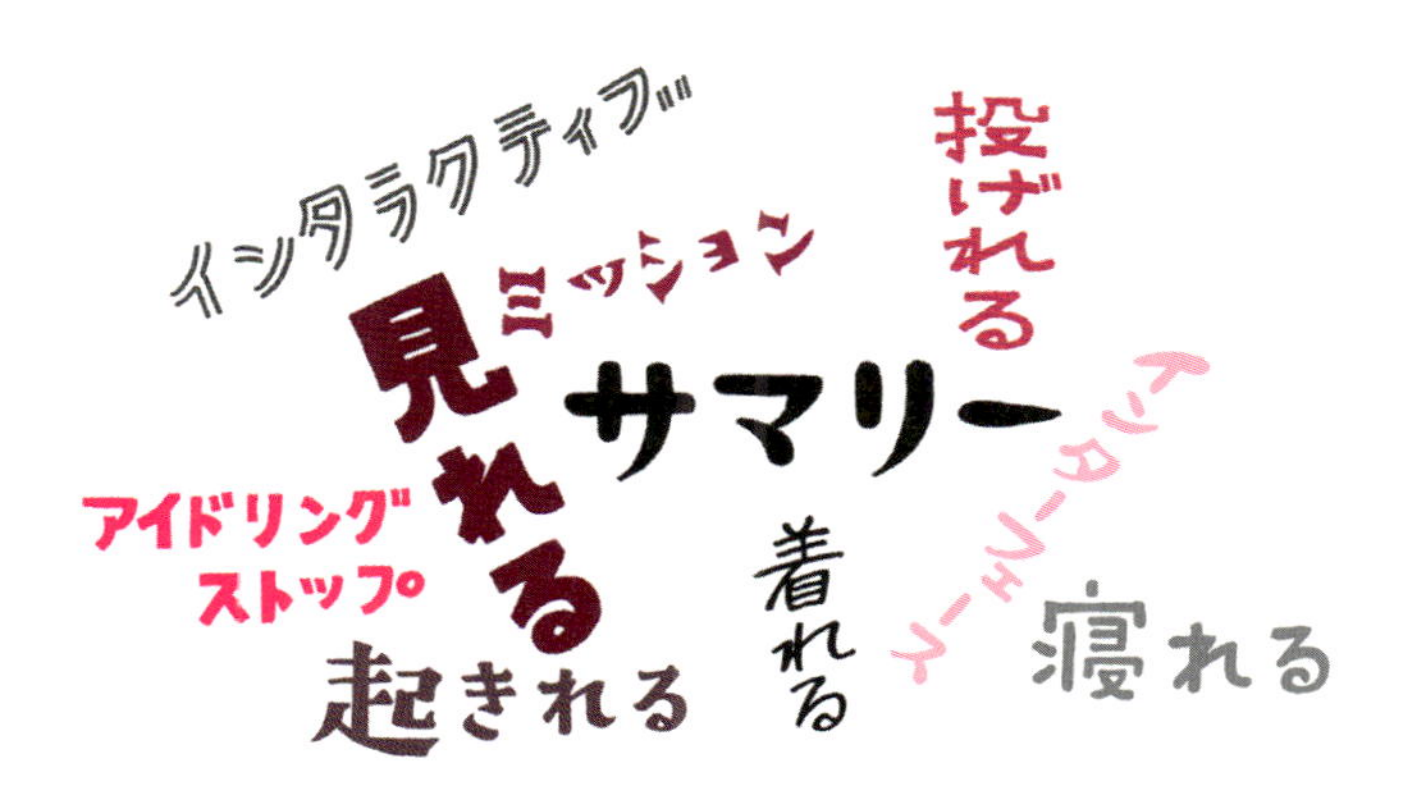

鑑賞のポイント

作者は台湾人。台湾川柳会の第二代会長でした（後掲のコラム参照）。日本語の乱れ、とりわけ「ラ抜き語」や「カタカナ語」の氾濫には、ほとほと参ります。そう、まさしく「ウイルス」のようです。こうした穿った見方を、日本人ではなく、台湾の方がいっているところに大いなる価値がありますね。

上達ポイント

1 日々世の中の動向や事件に関心を持つ

読者が「ハッ」とするような穿った見方を身につけるには、日々世の中の動向や事件に関心を持つことが大切です。

2 ユーモアが加味されると、より魅力的な句になる

単に穿った見方をするだけではなく、そこにおかしみの度合いが増すほど、魅力的な句になることでしょう。

その他の例句

子は宝いつまで金のいる宝

「いやはや言い得て妙、とはこのことでしょう。「子は宝」とまずいい切った上で、「金のいる宝」と吐き捨てました。」

岡村嵐舟

どっと来てどっと帰ったみな他人

「「所詮は他人」を穿った句です。皆さん、駆けつけてくれました。しかしながら頃合いを測ってみんな帰ってしまいました。後に残されたのは、自分だけ……。」

佐藤幸子

（『ブリキの夜汽車　佐藤幸子句集』あざみエージェント）

その他の例句

スッピンの女優私と大差なし

船本庸子
（『川柳句集　スイートピー』私家版）

痛快さを感じるうがちです！　かの有名女優だってスッピンなら、ぜ〜んぜん大したことありません。「大差なし」です。

コラム：台湾でも盛んな川柳

台湾の人たちが日本語で川柳を創っているのをご存知でしょうか？　台湾川柳会は戦前からの川柳愛好者を中心に、一九九四年正式に発足。現在でも毎月例会を開き、作品を持ち寄って、みんなで川柳を楽しんでおります。作者の李琢玉さんは、日本語世代の川柳作家（二〇〇五年没）。台湾人として初めて川柳句集『酔牛』（新葉館出版、二〇〇六年刊）を編みました。

ステップアップのコツ 45

作句の技術

軽みの美学

川柳

例句

修理屋が来て
電源を入れてゆき

坂牧春妙（『春妙のユーモア句集』新葉館出版）

かの俳聖芭蕉も「不易流行」「わび」「さび」等を経て、最後に到達したのが「軽み」の境地だといわれています。平易な言葉を用いながら、日常のさりげない物事に注目しながら、人間の本質に迫りたいものです。

これぞユーモア句！　ＩＴ機器に弱い人間は思い当たるフシがありそうですね。何かおかしいゾ、どこかの故障か？　と修理屋さんを頼んだら、電源が入っていなかっただけのこと、デシタ。

上達ポイント

1　既成の観念にとらわれない新鮮な表現

軽みには軽妙洒脱（けいみょうしゃだつ）さが大切。それには、既成の観念にとらわれない新鮮な表現が求められます。

2　ユーモア度が増すことで魅力的な句に

軽み＋ユーモアで、より魅力的な句ができるでしょう。

その他の例句

自転車は商店街を知りつくし

（『観覧車』千葉県川柳作家連盟）
成島静枝

「「知りつくし」という連用止めの軽さ。いいですね。こんな仕立て方の句を読むと、ママチャリもさぞ軽快なんでしょう。」

みんなあるものを女優が見せるヘア

（『大川幸太郎句集　木の中のみほとけ』新葉館出版）
大川幸太郎

「「みんなあるもの」などという軽い入り方をしていますが、作者はご高名な仏像彫刻師。その大先生の手による、かる～く仕上げた一句です。」

その他の例句

こんにちはハイこんにちは誰だっけ

（千葉県川柳作家連盟五〇周年記念合同句集・記念誌）阿部巻彌

「よくある日常のシーンですね。でも挨拶されて挨拶を返したら「あれ、誰だっけ?」ということもよくあります（笑）。「こんにちはハイこんにちは」という表現は、日常の出来事を見事に軽やかに切り取っていますね。」

よく笑う人はポイント五倍です

美馬りゅうこ

「CMでよく耳にする「ポイント○倍!」、そんないい回しを上手に採り入れました。口語調の、しかも現代的な軽さがアピールポイントです。」

監修者

上野　貴子（うえの　たかこ）

俳句作家。
1960年千葉県出身。高校時代演劇部の県大会で優勝したことがきっかけで女優に憧れ、玉川大学に入学と共に上京。同大学演劇専攻科を卒業後、本多スタジオでの公演で主演に抜擢され、数々の舞台を経験。27歳で結婚し友人の劇団に参加。

その後、離婚と共に俳句と出会い、伊藤園「お～いお茶俳句大会」にての奨励賞受賞を契機に本格的に俳句の勉強を始める。40歳を迎えると同時に再婚という幸運に恵まれ、更に俳句活動に専念。ホノルルフェスティバル「平和文学賞」「現代日本文芸作家大賞」など数々の賞を受賞。

三軒茶屋を拠点とした「おしゃべりHAIKUの会」を主宰し、カルチャースクールやネット講座での俳句講師を務める。ライフワークとしては、毎日俳句日記を10年以上書き続けている。2013年「uenotakakoの俳句TV」の開局。俳句雑誌への掲載や、TV、ラジオにも出演。そして2014年には8月19日を俳句記念日と制定（日本記念日協会認定）し、ひとりでも多くの方に俳句ファンに成って頂きたくさまざまな分野に発表し続けている。

著書:『物思ひ』『俳句ダイアリー』『曇りのち晴れ』『おしゃべりケーキ物語』『上野貴子俳句全集』『はじめての俳句上達のポイント[新版]』（メイツ出版）他、『お誕生日俳句　生まれたてのあなたへ：ショートポエムで綴るバースデー』（1～3月編、4～6月編、7～9月編、10～12月編）計4冊（プラスワン・パブリッシング[kindle版]）などがある。

上野貴子オフィシャルWEBサイト：http://uenotakako.com

江畑　哲男（えばた　てつお）

昭和27年（1952）12月生まれ。東京都足立区で育つ。
昭和50年（1975）早稲田大学教育学部国語国文科卒。
～平成31年（2019）千葉県公立高校教諭、私立高校講師。

＜現在＞東葛川柳会代表、（一般社団法人）全日本川柳協会副理事長、日本現代詩歌文学館理事、日本文藝家協会会員、麗澤大学オープンカレッジ講師、月刊『正論』「川柳」欄選者、よみうりカルチャーセンター柏教室講師、ほか。

＜主な著書＞川柳句文集『ぐりんてぃー』（教育出版社、2000年刊）、『ユニークとうかつ類題別秀句集』（編著、新葉館出版、2007年）、『川柳作家全集　江畑哲男』（新葉館出版、2010年）、『アイらぶ日本語』（学事出版、2011年）、『ユーモア党宣言！』（監修、新葉館出版、2012年）、評論集『我思う故に言あり』（新葉館出版、2014年）、『近くて近い台湾と日本　日台交流川柳句集』（共著、新葉館出版、2014年）、『よい句をつくるための川柳文法力』（新葉館出版、2017年）、『川柳句文集　熱血教師』（新葉館出版、2019年）、『今川乱魚のユーモア川柳とまじめ語録』（新葉館出版、2020年）ほか多数。

【STAFF】
■編集・制作　有限会社イー・プランニング
■本文デザイン・DTP　小山弘子
■イラスト　田渕愛子

はじめての五七五
違いがわかる「俳句・川柳」上達のポイント 新装版

2022年5月20日　　第1版・第1刷発行

監修者　上野 貴子（うえの たかこ）
　　　　江畑 哲男（えばた てつお）
発行者　株式会社メイツユニバーサルコンテンツ
　　　　代表者　三渡　治
　　　　〒102-0093 東京都千代田区平河町一丁目1-8
印　刷　株式会社厚徳社

ISBN978-4-7804-2625-0 C2092 Printed in Japan.

ご意見・ご感想はホームページから承っております
ウェブサイト　https://www.mates-publishing.co.jp/

編集長：堀明研斗　企画担当：折居かおる／清岡香奈

※本書は2017年発行の『違いがわかる はじめての五七五「俳句・川柳」上達のポイント』の装丁を変更し、「新装版」として新たに発行したものです。